Introduction

Sarebbe stato facile per me scrivere un manuale da viaggio come tutti gli altri, ma ho pensato:

"E se invece scrivessi le avventure di una coppia italiana all'estero? Se facessi seguire ai miei lettori un viaggio a Londra attraverso i loro occhi e facessi in modo che si trovassero ad affrontare un bel po' di problemi?".

In questo modo sarebbe più semplice capire come si deve reagire e che cosa si deve dire. In più, invece di suggerire io stesso "frasi fatte" che non rimangono mai in mente, perché non dar loro le armi per costruire DA SOLI le frasi che servono? Tanto sono facili!

E così sì che le cose giuste da dire vi rimarranno in testa, perché le avete fatte VOI.

Allora, venite a conoscere Mario e Olivia che, con i loro sacrifici, vi prepareranno per la vostra avventura all'estero.

Instructions for correct use

Questo libro ha bisogno del manuale d'istruzioni per essere letto e capito. Per rendervi la vita più semplice, infatti, abbiamo utilizzato una serie di simboli che dobbiamo spiegare subito, prima che cominciate a chiedervi perché questo libro è pieno di casette, lenti, vocabolari e lettere maiuscole buttate qua e là...

questo simbolo è importantissimo, e vi invita ad andare sul sito **www.instantenglish.it** e a cercare la sezione-video **"English in viaggio"**: potrete ascoltare, oltre che leggere, tutti i dialoghi di questo volume, e non solo...

Ci sono dei suoni in inglese che non esistono nella lingua italiana, e, soprattutto, io non riesco a scrivere la loro pronuncia in maniera chiara e inequivocabile: per questo è essenziale osservare con attenzione i simboli che vi presento di seguito, che sono associati alle lettere maiuscole che troverete tra parentesi nell'indicazione fonetica delle singole parole all'interno del volume, ma è fondamentale andare su **www.instantenglish.it** e ascoltarli all'interno della sezione-video **"English in viaggio"**.

UV "U" del video, che trovate nella sezione **"English in viaggio"**.

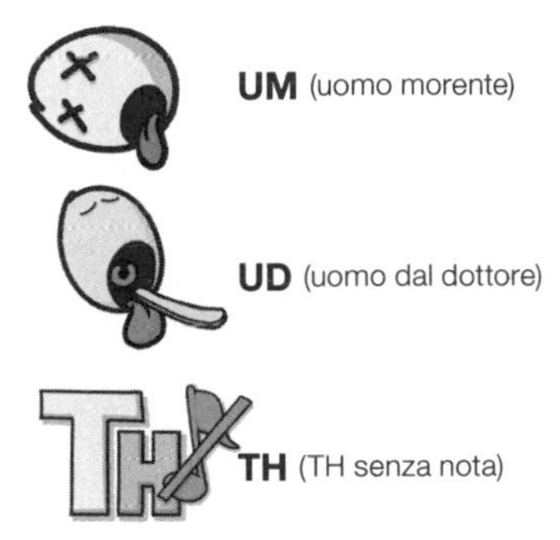

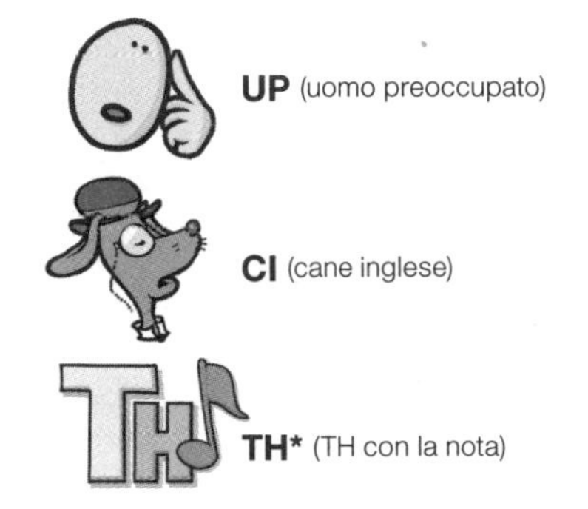

A	*(ei)*	**N**	*(en)*
B	*(bi)*	**O**	*(ou)*
C	*(si)*	**P**	*(pi)*
D	*(di)*	**Q**	*(chiù)*
E	*(i)*	**R**	*(ar)*
F	*(ef)*	**S**	*(ess)*
G	*(gi)*	**T**	*(ti)*
H	*(eic')*	**U**	*(iu)*
I	*(ai)*	**V**	*(vi)*
J	*(gei)*	**W**	*(daboliu)*
K	*(kei)*	**X**	*(ex)*
L	*(el)*	**Y**	*(uai)*
M	*(em)*	**Z**	*(zed)*

Questo simbolo vi segnala che stiamo affrontando un argomento di grammatica, perché la grammatica è la parte fondamentale della lingua e ne rappresenta gli ingranaggi.

Questo simbolo lo trovate associato agli argomenti che non sono puramente di grammatica, ma che sono strettamente collegati, come delle catene; sono dei link, che vi servono per fare associazioni e per usare la grammatica nelle frasi.

Az

Quando troverete questo simbolo saprete di essere nella rubrica del "vocabolario": vi fornirò delle parole grazie a cui potrete comprendere meglio i dialoghi e le lezioni, ma soprattutto tradurre con più semplicità gli esercizi.

Con questo simbolo vi segnalo un utile strumento, ovvero degli approfondimenti o delle curiosità... tutte per voi.

Nella sezione **"The adventures of Mario e Olivia"** potrete seguire le divertenti avventure dei nostri protagonisti in giro per Londra.

Nei dialoghi:
M è Mario
O è Olivia

Gli altri personaggi verranno introdotti nei singoli dialoghi, così da permettervi di capire chi sta parlando.

Quando trovate le parti con il blocco su cui prendere appunti, beh, lì decidete voi cosa scrivere!

Preparation (tools)

Ed ora, proprio come si fa quando si parte per un viaggio, dobbiamo cercare di mettere in valigia le cose fondamentali, quelle che ci devono assolutamente stare; il resto vedremo di recuperarlo via via nel corso del libro.

gli aggettivi

Un elemento FONDAMENTALE da ripassare e portare con sé quando si parte diretti verso un Paese straniero è costituito dagli **AGGETTIVI**.
Nella frase inglese hanno un ordine ben specifico. Vengono sempre prima del sostantivo a cui si riferiscono, ma tra di loro come si ordinano?

MISURA	ETÀ	OPINIONE	COLORE	MATERIALE	SOSTANTIVO
big	old	beautiful	black	wooden	piano
small	young	ugly	white		man
deep		wonderful	blue		river
long			black		road
long	young	sad	white		face
	young	happy	black		girl

Facciamo ora qualche esempio, perché gli aggettivi sono davvero strumenti indispensabili per dare colore, forma e spessore alle vostre idee e ai vostri desideri.

MISURA

big	*(big)*	grande/grosso
small	*(ssmool)*	piccolo
high	*(hai)*	alto
low	*(lou)*	basso
tall	*(tool)*	alto (per persone)
short	*(scioot)*	corto/basso (per le persone)
wide	*(uaid)*	largo
narrow	*(narou)*	stretto
long	*(long)*	lungo
deep	*(diip)*	profondo
shallow	*(scialou)*	superficiale/ poco profondo

ETÀ

old	*(ould)*	vecchio
young	*(i-UV-ng)*	giovane
new	*(niu)*	nuovo

OPINIONE

La maggior parte degli aggettivi si trovano in questa vasta categoria: qualsiasi cosa che possa esprimere un'opinione si trova qui.

good	*(gud)*	buono
bad	*(bad)*	cattivo
happy	*(hapi)*	felice
sad	*(sad)*	triste
rich	*(ric')*	ricco
poor	*(pur)*	povero
beautiful	*(biutif-UV-l)*	bello
ugly	*(UV-gli)*	brutto
thin	*(TH-in)*	magro
fat	*(fat)*	grasso
nice	*(nais)*	buono/carino/simpatico
pleasant	*(plesant)*	piacevole

fast	*(fasst)*	veloce
slow	*(slou)*	lento
grateful	*(graitf-UV-l)*	grato
un*grateful	*(UV-graitf-UV-l)*	ingrato
polite	*(polait)*	cortese
impolite	*(impolait)*	scortese
lucky	*(l-UV-ki)*	fortunato
un*lucky	*(UV-l-UV-ki)*	sfortunato

* **un**- all'inizio di un aggettivo serve per esprimere il contrario del suo significato, l'esatto opposto.

COLORI

black	*(blak)*	nero
blue	*(blu)*	blu
green	*(griin)*	verde
yellow	*(ielou)*	giallo
white	*(uait)*	bianco
pink	*(pink)*	rosa
light blue	*(lait blu)*	azzurro
grey	*(grei)*	grigio
orange	*(oring')*	arancione
purple	*(p-UM-p-UV-l)*	viola
red	*(red)*	rosso
brown	*(braun)*	marrone

MATERIALE

wooden	*(Cl-den)*	di legno
steel	*(stiel)*	di acciaio
plastic	*(plasstik)*	di plastica
glass	*(glass)*	di vetro
metal	*(met-UV-l)*	di metallo
cotton	*(cotton)*	di cotone

USA vs UK

Un altro, importante concetto che vi voglio regalare subito, e che invito tutti voi a ricordare bene, è che GLI AMERICANI PARLANO INGLESE, ciò che differenzia la loro lingua dalla mia, da quella che voi state imparando e volete usare, sono alcuni VOCABOLI che cambiano, così come la lingua cambia da una regione all'altra, e spesso anche da una provincia all'altra o da una città a un'altra... ecco alcune parole a confronto.

ITALIANO	UK	USA
ascensore	lift *(lift)*	elevator *(elevetor)*
autostrada	motorway *(motewei)*	highway *(h-aiuei)*
bagaglio	luggage *(l-UV-gig')*	baggage *(bagig')*
banconota	bank note *(bank nout)*	bill *(bil)*
baule (dell'auto)	boot *(buut)*	trunk *(tr-UV-nk)*
benzina	petrol *(petr-UV-l)*	gas *(gass)*
biglietto A/R	return ticket *(rit-UM-n tikit)*	round trip ticket *(raund trip tikit)*
biglietto solo andata	single ticket *(sing-UV-l tikit)*	one way ticket *(uon uei tikit)*
farmacia	chemist *(kemist)*	drugstore *(dr-UV-gstoo)*
metropolitana	underground *(UV-nd-UP-graund)*	subway *(s-UV-buei)*
negozio	shop *(sciop')*	store *(stoo)*
parcheggio	car park *(k-UD p-UD-k)*	parking lot *(p-UD-king lot)*
prenotare	to book *(tu buk)*	to reserve *(tu ris-UM-v)*
pullman	coach *(couc')*	bus *(b-UV-ss)*
rifiuti	rubbish *(r-UV-bisc')*	garbage *(garbig')*
stazione del treno	train station *(trein stacion')*	railroad station *(railroud)*
vacanza	holiday *(holidei)*	vacation *(veikeicion)*

unità di misura

Nel Regno Unito (e anche negli USA) ci sono dei modi diversi per indicare le varie misure, le distanze, le superfici...
Il Sistema Imperiale Britannico è stato utilizzato in Inghilterra fino al 1955, e viene ancora utilizzato, anche se non ufficialmente. Insieme al Sistema Consuetudinario Statunitense (SCS) rappresenta un'evoluzione delle misure anticamente utilizzate. Queste sono le principali unità di misura:

MISURA SCS	NOME INGLESE	EQUIVALE A...
mil	mil	0,025 mm
pollice	inch	25,4 mm
piede	foot	304,8 mm
iarda	yard	0,9 m
oncia	ounce	16 dramme - 28,3 g
libbra	pound	16 once - 453,6 g
miglio quadrato	square mile	2,6 km2
acro	acre	0,4046 ettari - 4.046,9 m^2
pinta	pint	20 once fluide - 258 ml
gallone	gallon	160 once - 8 pinte - 4,546 l

gradi Fahrenheit °F = (°Cx1,8) + 32
(la temperatura media del corpo umano è 37 °C, ovvero 98,6 °F)

Per quanto riguarda il DENARO, in Inghilterra si usa la lira **sterlina**, il cui simbolo è £. Una sterlina equivale a 100 **pence**.

Insomma, avete capito... se dovete ordinare un litro d'acqua non c'è problema, ma se dovete capire quanto è lungo il percorso della maratona a cui volete iscrivervi è meglio che memorizziate bene tutte queste informazioni. E se decidete di fare shopping a Londra, magari ricordatevi anche la calcolatrice!

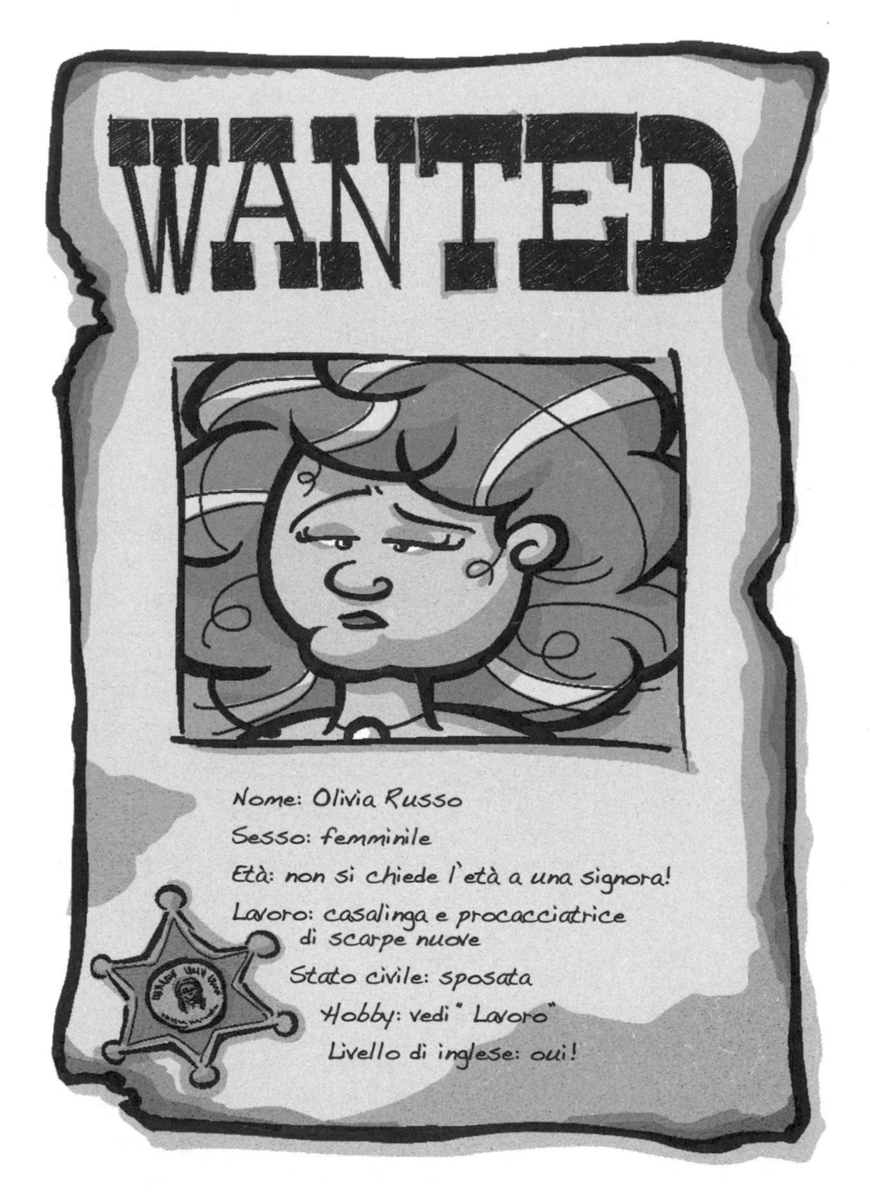
WANTED
Nome: Olivia Russo
Sesso: femminile
Età: non si chiede l'età a una signora!
Lavoro: casalinga e procacciatrice di scarpe nuove
Stato civile: sposata
Hobby: vedi "Lavoro"
Livello di inglese: oui!

UNWANTED
Nome: Mario Russo
Sesso: ... quando ero giovane
Età: ho smesso di preoccuparmene da un po'
Lavoro: venditore di deodorante per scarpe
Stato civile: pessimo
Hobby: magari!
Livello di inglese: meglio lasciar perdere: ho fatto francese a scuola, io...
Livello di francese: non fa ridere!

(*The*) *time*
Some/any: ordinare

Travelling (on the plane) Viaggiare (in aereo)

Pronomi personali
Verbo essere (*to be*)
Articoli
Il plurale
Verbo avere (*to have*)
Short answers
Simple present frase interrogativa

Mario e Olivia stanno per prendere l'aereo per Londra, ma prima di conoscere i dettagli del loro viaggio cominciamo con un po' di grammatica. Per insegnarvi come costruire le frasi più semplici e non darvi delle frasi fatte da ripetere come un pappagallo servono le regole di base. *Come on, it's easy*, e ci vuole un attimo!

pronomi personali

SOGGETTO		**COMPLEMENTO**
I (*ai*)	io	me (*mi*)
you (*iu*)	tu	you (*iu*)
he (*hi*)	egli/lui	him (*him*)
she (*sci*)	lei	her *(H-UM)*
it (*it*)	esso/essa (*riferito a un oggetto*)	it (*it*)
we (*ui*)	noi	us (*UV-s*)
you (*iu*)	voi ("tu" e "voi" è sempre you)	you (*iu*)
they (*TH*ei*)	essi/loro	them (*TH*em*)

verbo essere (*to be*)

FORMA AFFERMATIVA del presente indicativo

	FORMA ESTESA	**FORMA CONTRATTA**
io sono	I am	I'm
tu sei	you are	you're
egli/lei/esso è	he/she/it is	he's/she's/it's
noi siamo	we are	we're
voi siete	you are	you're
essi/loro sono	they are	they're

la forma affermativa è così strutturata:

SOGGETTO + **VERBO** + **COMPLEMENTO**

FORMA NEGATIVA del presente indicativo

	FORMA ESTESA	FORMA CONTRATTA
io non sono	I am **not**	I'm not
tu non sei	you are **not**	you aren't
egli/lei/esso non è	he/she/it is **not**	he/she/it isn't
noi non siamo	we are **not**	we aren't
voi non siete	you are **not**	you aren't
essi/loro non sono	they are **not**	they aren't

la forma negativa è così strutturata:

SOGGETTO + **VERBO** + ***NOT*** + **COMPLEMENTO**

FORMA INTERROGATIVA del presente indicativo

In italiano, per distinguere tra un'affermazione e una domanda, ci si affida al tono quando si parla, al **punto interrogativo** quando si scrive. In inglese, invece, la differenza tra un'affermazione e una domanda sta proprio nell'organizzazione della frase: per l'affermativa mettiamo prima il soggetto e poi il verbo, mentre per l'interrogativa facciamo il contrario; prima mettiamo il verbo e poi il soggetto. È semplice, no?!

AFFERMATIVA	**INTERROGATIVA**
I am	am I?
you are	are you?
he/she/it is	is he/she/it?
we are	are we?
you are	are you?
they are	are they?

la forma interrogativa positiva è così strutturata:

(+) **VERBO** + **SOGGETTO** + **COMPLEMENTO**

la forma interrogativa negativa è così strutturata:

(+) **VERBO** + ***NOT*** + **SOGGETTO** + **COMPLEMENTO**

gli articoli

DETERMINATIVO

THE, che in inglese traduce «il», «lo», «la», «i», «gli», «le» e «l'.»

INDETERMINATIVO

«Un», «uno» e «una» si traducono tutti con A o AN.

A si usa prima dei sostantivi che iniziano per consonante (H compresa),
AN si usa prima dei sostantivi che iniziano per vocale.

il plurale

Per trasformarli dal singolare al plurale, si aggiunge una "-S" ai sostantivi. E questa è la regola per la formazione del plurale in inglese, con qualche eccezione:

con sostantivi che terminano per -**S**, -**SS**, -**SH**, -**CH** o -**Z** si aggiunge -**ES**;
con sostantivi che terminano per -**Y**:
se la **Y** è preceduta da una vocale, si aggiunge -**S**;
se la **Y** è preceduta da una consonante, diventa -**IES**.

verbo avere (*to have*)

FORMA AFFERMATIVA del presente indicativo

	FORMA ESTESA	FORMA CONTRATTA
io ho	I have	I've
tu hai	you have	you've
egli/lei/esso ha	he/she/it has	he/she/it's
noi abbiamo	we have	we've
voi avete	you have	you've
essi hanno	they have	they've

la forma affermativa è così strutturata:

+ **SOGGETTO** + **VERBO** + **COMPLEMENTO**

FORMA NEGATIVA del presente indicativo

	FORMA ESTESA	FORMA CONTRATTA
io non ho	I have **not** (got)	I haven't (got)
tu non hai	you have **not** (got)	you haven't (got)
egli/lei/esso non ha	he/she/it has **not** (got)	he/she/it hasn't (got)
noi non abbiamo	we have **not** (got)	we haven't (got)
voi non avete	you have **not** (got)	you haven't (got)
essi non hanno	they have **not** (got)	they haven't (got)

la forma negativa è così strutturata:

SOGGETTO + VERBO + *NOT* + *GOT* + COMPLEMENTO

FORMA INTERROGATIVA del presente indicativo

AFFERMATIVA	INTERROGATIVA
I have	have I (got)?
you have	have you (got)?
he/she/it has	has he/she/it (got)?
we have	have we (got)?
you have	have you (got)?
they have	have they (got)?

la forma interrogativa è così strutturata:

VERBO + SOGGETTO + *GOT* + COMPLEMENTO

Ricordate che queste forme del verbo to have si riferiscono al significato di avere come possesso. In America, anzichè la struttura che abbiamo appena visto, si usa invece l'ausiliare to do, e quindi la forma interrogativa del presente indicativo, per esempio, diventa Do you have...?

short answers

La risposta a domande dirette (fatte utilizzando un verbo come prima parola della frase) si chiama SHORT ANSWER (risposta breve), e permette di evitare la ripetizione dell'aggettivo, quindi va strutturata come di seguito.

Positiva: **YES + SOGGETTO + VERBO**

Yes, she is/Yes, I am
Yes, I have/Yes, she has

Negativa: **NO + SOGGETTO + VERBO + NOT**

No, they are not/No, she's not
No, they have not/No, we've not

Solo nella forma negativa è possibile usare le forme contratte.

THE ADVENTURES OF MARIO AND OLIVIA

Mario e Olivia sono a bordo dell'aereo che li sta portando a Londra, anche se, per colpa di Mario - ovviamente! -, hanno rischiato di rimanere a terra. Una delle hostess comincia a distribuire il cibo. E finalmente tutti gli italiani hanno qualcosa di cui lamentarsi.

Mario è felice.

M: «Non vedo l'ora di andare alla convention di Londra. Quest'anno sarà ancora più bella!»

Olivia è piuttosto annoiata.

O: «L'hai detto anche l'anno scorso.»

M: «Ehm, ma quest'anno lanceranno un nuovo rivoluzionario spray... alla vaniglia!»

O: «Vabbè! A che ora arriviamo a Londra?»

M: «Non lo so, adesso chiedo alla hostess.»

(the) time

Cominciamo con le espressioni fondamentali, per mettere le basi che vi permetteranno di capire "al volo" come si chiede e si dice l'ora in inglese:

quarter	quarto d'ora
a quarter to + ORA	manca un quarto d'ora a... + ora successiva
a quarter past + ORA	sono le... + ora (appena passata) e un quarto
half	mezz'ora
half past + ORA	sono le... ORA e mezza
o'clock	in punto (si usa solo riferendosi a un'ora esatta)

Tutto ciò che sta a destra dell'orologio è PAST; tutto ciò che sta a sinistra è TO.

Mentre il quarto d'ora può essere sia past che to, la mezz'ora è solo past! Questo significa che, fino a quando la lancetta non segna i 30 minuti sull'orologio, in inglese ci si esprime con past. Dopo che la lancetta supera i 30 minuti, si comincia a parlare di to...

Ancora, in inglese non esistono le 24 ore, ma ce ne sono soltanto 12 che si ripetono 2 volte: per indicare tutto ciò che viene dopo mezzogiorno si usa p.m. (*post meridien*); a.m. (*ante meridien*) si utilizza per tutto quello che viene prima.
Ma questa consuetudine si riferisce soltanto alle ore scritte: per dire a.m. o p.m. diciamo molto più semplicemente in the morning nel primo caso e in the afternoon o in the evening nel secondo.

What time is it?

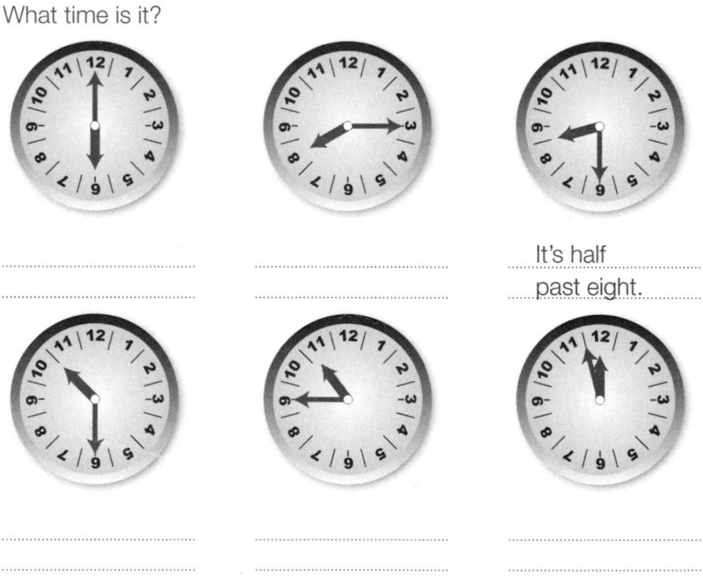

SCRITTO	**PARLATO**
10.00 (10.00 a.m.)	It is ten o'clock in the morning.
18.15 (06.15 p.m.)	They will arrive at a quarter past six in the afternoon.
22.30 (10.30 p.m.)	It's half past ten in the evening.
05.05 (05.05 a.m.)	I arrived at five past five in the morning.
08.10 (08.10 a.m.)	It's ten past eight in the morning.

Quando non ci sono a quarter past/to, half past o multipli di cinque, dovete sempre aggiungere minutes.

20.28 (08.28 p.m.) They will arrive at twenty eight minutes past eight in the evening.

La parola **TIME** (*taim*) vuol dire tre cose in inglese:

1. tempo cronologico (quello atmosferico si traduce con weather)
2. l'ora = (the) time
3. volta (three times a year)

Quando si chiede l'ora, in inglese si dice:
Che ora è? What time is it please? (*uot taim is it pliiz*)

La risposta potrà essere una delle seguenti:
Non lo so, mi dispiace. I don't know, sorry. (*ai dount nou, sorri*)
Sono le sei. It's 6 o'clock. (*itss six o clok*)

Spesso in inglese si aggiunge about, che vuol dire «circa»:
Scusi, che ore sono? Excuse me, what time is it please? (*exkiuzz mi uot taim is it pliiz*)
Sono le 10 circa. It's about 10 o'clock. (*itss abaut ten o clok*)
Grazie! Thank you! (*th-ank iu*)
Prego. You're welcome. (*ioo uelcom*)

PLEASE

Quando si chiede una cosa in inglese si deve SEMPRE aggiungere please (*pliiz*), che vuol dire «per favore».

Per un italiano, al bar è normale dire solo "due caffè".
In Inghilterra o negli Stati Uniti è diverso: senza il please ti considerano un maleducato ed è possibile che ti rispondano male.

PREGO

Quando qualcuno vi dice thank you, in inglese dovete rispondere you're welcome (*iour uelcom*), che letteralmente tradotto sarebbe «sei il benvenuto.»

early	(*UM-li*)	presto
late	(*lait*)	tardi
don't worry	(*dount wori*)	non ti preoccupare
almost	(*oolmoust*)	quasi
come on!	(*c-UV-m on)*	andiamo!
midnight	(*midnait*)	mezzanotte
noon	(*nuun*)	mezzogiorno

ESERCIZIO n. 1

1. Che ore sono? Mi displace, non lo so. ....
....
2. Sono le 9. ....
3. Sono quasi le quattro e un quarto. ....
....
4. Andiamo! Sono le 7 e mezza. ....
....
5. A che ora è il treno? Alle tre meno venti. ....
....
6. Quando arriva il volo? A mezzanotte. ....
....
7. A che ora è la partita? Circa alle sei. ....
....
8. Che ora è? È presto, non ti preoccupare. ....
....
9. È tardi. ....
10. Sono le cinque meno dieci. È ora di andare! ....
....

simple present frase interrogativa

Per la forma interrogativa il simple present utilizza il verbo ausiliare TO DO (does per la terza persona singolare), che prende il primo posto nella formazione della frase interrogativa, prima del soggetto, a patto che non si utilizzino il verbo essere o il passato prossimo di to get, HAVE GOT; in questi casi, infatti, si ha l'inversione tra soggetto e verbo.

la forma interrogativa è così strutturata:

(+) ***DO/DOES*** + **SOGGETTO** + **VERBO** + **COMPLEMENTO**

Do you work in a shop? Lavori in un negozio?
Does he/she/it work*? Do you work? Do they work?

* non si deve mai aggiungere la -S al verbo, che è all'infinito (senza to), perché è, infatti, l'ausiliare to do a essere coniugato alla terza persona: abbiamo infatti does!
Come abbiamo già visto, le short answers sono appunto «risposte brevi» molto utilizzate e, al presente, si formano senza utilizzare il verbo principale della frase interrogativa, ma con to do.

Do you work in a sweet shop?
In inglese, NON si dice Yes, I work MA Yes, I do.
OPPURE No, I do not/I don't.

THE ADVENTURES OF MARIO AND OLIVIA

L'aereo sta sorvolando la Manica e la hostess (H) chiede ai passeggeri se desiderano qualcosa da bere.

H: «*Would you like something to drink?*» «Gradisce qualcosa da bere?»

H: «*We have...*» «Abbiamo...»

tea *(tii)* tè

coffee *(koffi)* caffè

beer *(bie)* birra

spirits *(spirits)* superalcolici

water *(uotè)* acqua

juice *(giuis)* succo di frutta
(orange, apple, pineapple, apricot...)
arancia, mela, ananas, albicocca...)

lemonade *(lemoneid)* limonata

M: «*Water, please.*»

O: «Non prenderla gassata. Sei già abbastanza pieno di gas, tu! Con la pressione dell'aereo ho paura per tutti, se te ne danno ancora.»

M: «Ti insegno una cosa: loro non dicono acqua naturale minerale, dicono naturale minerale acqua, cioè... *natural mineral water.*»

Olivia è pensierosa.

O: «Perché?»

M: «Perché in inglese gli aggettivi vanno sempre prima della cosa a cui si riferiscono, cioè prima del sostantivo! Una moglie brutta in inglese sarebbe "brutta moglie", cioè *ugly wife.*»

O: «Come mai hai usato proprio questo come esempio?»

M: «Così.»

Mario ha un bel sorriso stampato sulla faccia.

M: «*I would like* (vorrei) *a glass of* (un bicchiere di) *water, please.*»

H: «*Still or sparkilng?*» «Naturale o gassata?»

M: «*Still, please.*»

H: «*Ice?*» «Ghiaccio?»

M: «*Yes, please.*»

H: «*Lemon?*» «Limone?»

M: «*No, thank you.*»

Mario ha preso la sua acqua. Ora è il turno di Olivia.

H: «*What would you like, madam?*»

O: «*A coffee, please.*» «Un caffè, per favore.»

H: «*Milk?*» «Latte?»

O: «*Yes, please.*»

H: «*Sugar?*» «Zucchero?»

O: «*No, thank you.*»

some/any: ordinare

SOME significa «un po' di/alcuni» e solitamente viene utilizzato nelle frasi affermative,
ANY si usa in quelle interrogative e negative.

Nelle offerte e nelle richieste, però, si usa ancora SOME, anche se si trattasse di frasi interrogative, altrimenti sembra che chi offre o fa una richiesta si aspetti una risposta negativa.

spoonful	cucchiaino (di qualcosa)
some more	ancora un po'
too	troppo (usato davanti ad aggettivi e avverbi)
kilo	chilo
sugar	zucchero
cake	torta
chips	patatine fritte
hot	caldo

Offerta:
Would you like some cake? Vuole un po' di torta?

Richiesta:
Can I have some cake? Posso avere un po' di torta?

C'è un'importante differenza fra l'italiano e l'inglese (una???); cioè, in inglese, quando vi offrono qualcosa:

> se volete rispondere "sì" dovete dire "sì, prego", yes, please, non "sì, grazie", yes, thank you.

Thank you si usa solo per risposte negative (no, thank you).

ESERCIZIO n. 2

1. Un hamburger? Sì, grazie. ....

   ....

2. Un tè e un caffè, per favore. ....

   ....

3. Un chilo di banane, per favore. ....

   ....

4. Un po' di latte? No, grazie. ....

   ....

5. Due birre per favore. ....

   ....

6. Un po' di zucchero nel tè? Sì, grazie. Due cucchiaini. ....

   ....

7. Grazie mille. Prego. ....

   ....

8. Ancora un po' di torta? No, grazie. ....

   ....

9. Delle patatine fritte, per favore. Ketchup? Sì, grazie. ....

   ....

10. Posso avere un'altra birra, per favore? Questa è troppo calda. ....

    ....

    ....

THE ADVENTURES OF MARIO AND OLIVIA

Dopo qualche minuto l'aereo si è abbassato per atterrare e Mario, impaurito, ha preso la mano di Olivia.

O: «Cosa fai? Erano 10 anni che non mi prendevi la mano!»

M: «Ho paura.»

O: «Anch'io! E se l'atterraggio è turbolento cosa fai? Mi baci sulla bocca?»

Olivia è davvero molto preoccupata.

L'aereo atterra senza problemi, e nessuno applaude più forte di lei.

Bagagli smarriti
At (what time?)
Directions

At the airport
All'aeroporto

Who chi
What che cosa/quale
Where dove
How come
Prepositions

Mario e Olivia sono atterrati a Londra e tra non molto capiranno anche che non sono i loro orologi a essersi fermati per un'ora durante il volo. Presto si renderanno conto che c'è un'ora di fuso orario rispetto all'Italia. E a Londra non piove sempre, ma ogni tanto nevica pure.

THE ADVENTURES OF MARIO AND OLIVIA

Arrivati a Londra, i passeggeri del volo aspettano davanti al nastro trasportatore. Pian piano tutti si allontanano con il proprio bagaglio, tranne Mario e Olivia, a cui manca ancora una valigia.La più grossa, quella con le scarpe di Olivia… Lei, irritata, cerca a tutti i costi di dare a Mario la colpa di questa faccenda.

O: «Conoscendoti, l'avrai chiusa male!»

Mario esplode

M: «Io non capisco perché devi portare con te così tante scarpe! Solo Elton John porta più scarpe di te! Penseranno che c'era un gigantesco millepiedi a bordo.»

Un'ora d'attesa davanti al nastro vuoto... Mario e Olivia capiscono che la borsa non arriverà.

bagagli smarriti

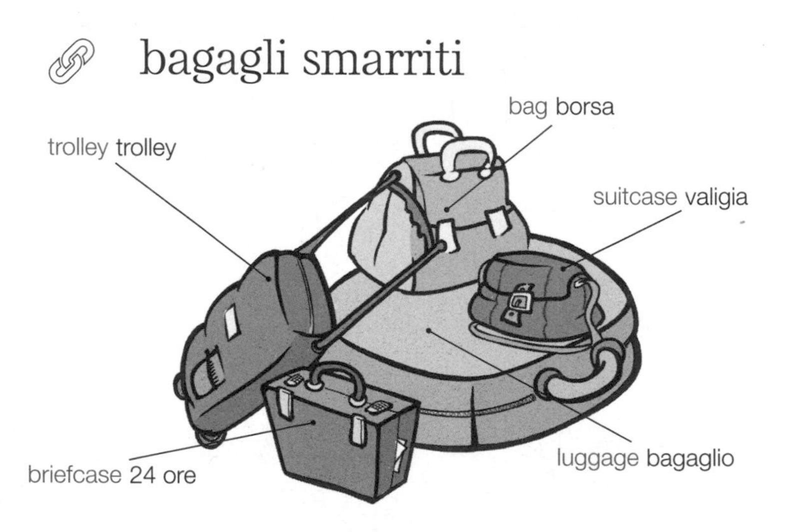

BAG(S)

Bags è un modo generale per dire "valigie";
a bag è una borsa.

THE ADVENTURES OF MARIO AND OLIVIA

Passati il controllo passaporto e la dogana, Mario e Olivia vanno all'ufficio bagagli smarriti (*Lost and Found* - Perso e ritrovato) e si rivolgono al Rappresentante *Lost and Found* (RAP).

RAP: «*Which flight were you on?*» «Su quale volo eravate?»

M: «*On the flight coming from Milan.*» «Su quello proveniente da Milano.»

RAP: «*How many suitcases are missing?*» «Quante valigie sono state smarrite?»

M: «*One.*» «Una.»

RAP: «*Could you describe it, please?*» «Me la può descrivere, per favore?»

M: «It is large and red.» «È grossa e rossa.»

RAP: «*Where will you be staying in London?*» «Dove alloggerete qui a Londra?»

M: «*At the King Hotel, 13 Black Street.*»

O: «Digli che abbiamo una stanza con la vasca idromassaggio!»

RAP: «*How long will you be staying at the King Hotel?*» «Per quanto tempo vi fermerete al King Hotel?»

M: «*For two weeks.*» «Per due settimane.»

RAP: «*Would you prefer us to send your suitcase to the hotel or would you like us to keep it here for when you return?*» «Preferite che mandiamo la valigia all'albergo o volete che la teniamo qui in aeroporto per quando ritornate?»

M: «*I don't know, how long will it take you to find it?*» «Non lo so, quanto ci metterete a trovarla?»

RAP: «*Normally two or three days, but your plane went to Sudan so I don't know.*» «Normalmente due o tre giorni, ma il vostro aereo è andato in Sudan, quindi non lo so.»

M: «*We'll get it when we return.*» «La riprenderemo al ritorno.»

RAP: «*Can you give me a telephone number, so we can contact you in these days, please?*» «Può darmi un recapito telefonico dove possiamo contattarla in questi giorni?»

M: «*Certainly.*» «Certo.»

(e dà il numero del suo cellulare.)

 *at (what time?)*

Adesso impariamo come capire l'ora in inglese. Quando si chiede l'ora per un evento specifico, si deve usare AT prima della domanda e, a volte, anche do, o does per la terza persona.

At what time does the cinema open? (*at uot taim doz the ssinema oupen*) A che ora apre il cinema?

At what time do you close? (*clous*) A che ora chiudi/chiudete?

At what time does the train leave? A che ora parte il treno?

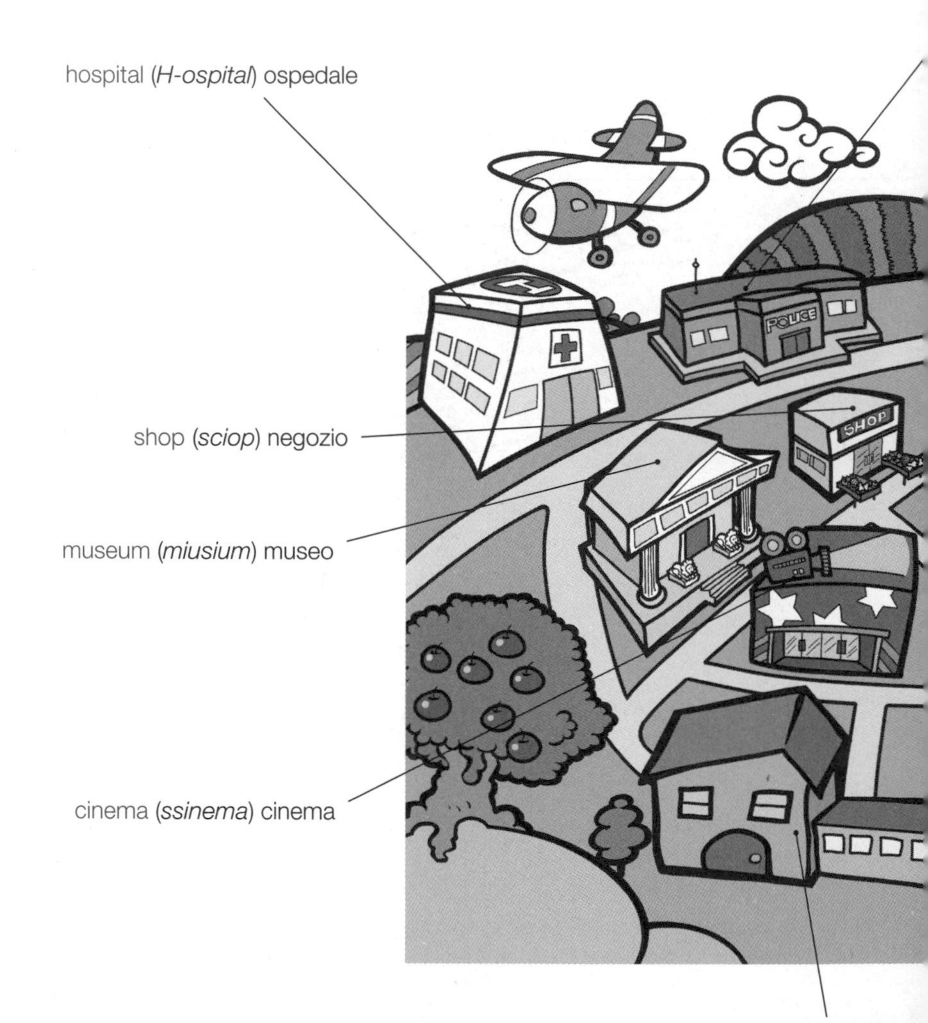
hospital (*H-ospital*) ospedale
shop (*sciop*) negozio
museum (*miusium*) museo
cinema (*ssinema*) cinema
hostel (*H-ostel*) ostello
POLICE
SHOP

police station (*poliss staiscion*) stazione di polizia

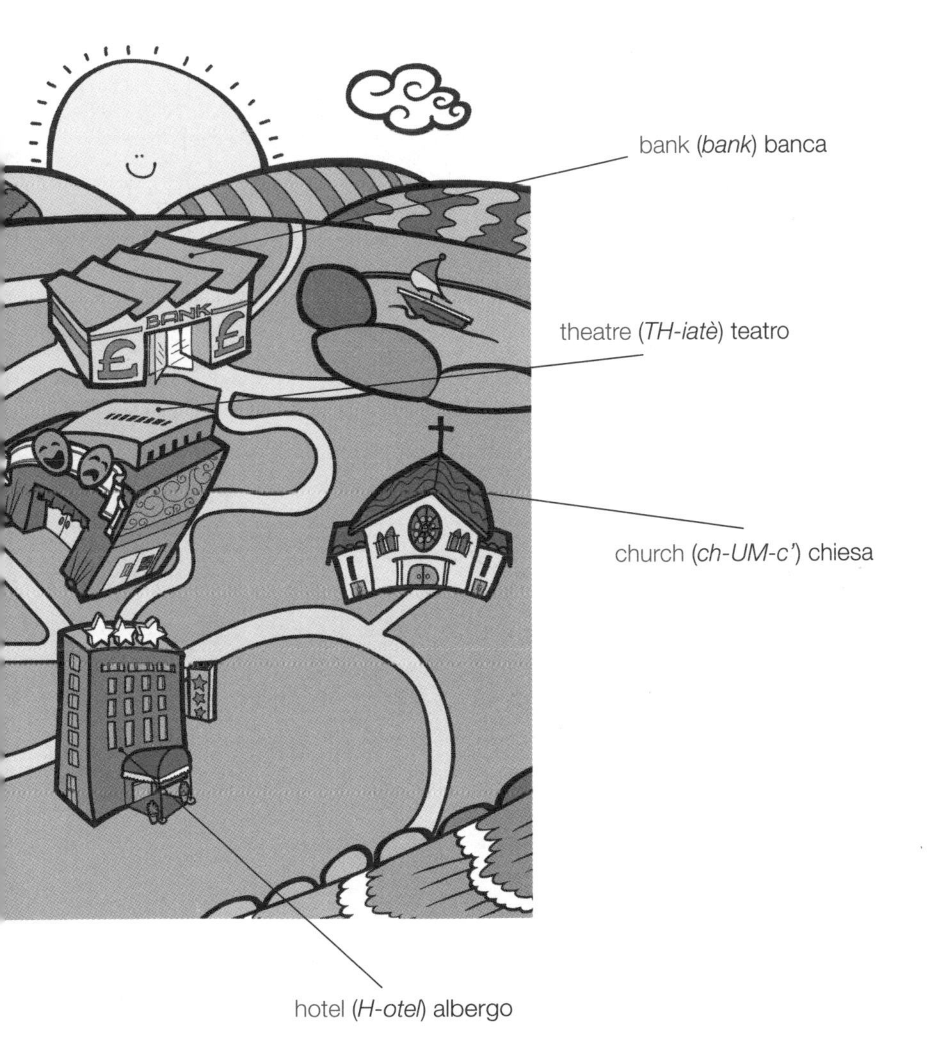

bank (*bank*) banca

theatre (*TH-iatè*) teatro

church (*ch-UM-c'*) chiesa

hotel (*H-otel*) albergo

Az

to leave	partire
to arrive	arrivare
to open	aprire
to close	chiudere
to start	iniziare
to finish	finire
to meet	incontrare
to collect	andare a prendere
gym	palestra
lesson	lezione

ESERCIZIO n. 3

1. A che ora apre il supermercato? ....

....

2. A che ora parte il treno per Milano? ....

....

3. A che ora arriva l'aereo? ....

....

4. A che ora inizia il film? ....

....

5. A che ora ti incontri con Jenny? ....

....

6. A che ora vai a prendere i bambini? ....

....

7. A che ora chiude il negozio? ....

....

8. A che ora va in palestra Peter? ....

....

9. A che ora andiamo al ristorante? ....

....

10. A che ora inizia la tua lezione d'inglese? ....

....

show	(*sciou*)	spettacolo
breakfast	(*breakfast*)	colazione
to start	(*start*)	cominciare
to finish	*(finisc')*	finire
to land	(*land*)	atterrare
to take off	*(to teik off)*	decollare
to open	*(tu oupen)*	aprire
to close	*(tu clouse)*	chiudere

Excuse me, what time does the museum close?
Mi scusi, a che ora chiude il museo?

Excuse me, what time does the bank open?
Mi scusi, a che ora apre la banca?

Excuse me, what time does the show start?
Mi scusi, a che ora comincia lo spettacolo?

Excuse me, what time is breakfast?
Mi scusi, a che ora è la colazione?

Excuse me, what time is our train?
Mi scusi, a che ora abbiamo il treno?

Ora Mario deve chiedere a uno svogliato impiegato di una compagnia di trasporti a che ora passa l'ultimo autobus…

who (hu) chi

Who are you? Chi sei?
Who are they? Chi sono loro?
Who is this boy? Chi è questo ragazzo?
Who are those men? Chi sono quegli uomini?
Who is that man? Chi è quell'uomo?

la frase con *who* è così strutturata:

WHO + **VERBO** + **...**

what (uot) che cosa/quale

What is* your name? Qual è il tuo nome/Come ti chiami?
What are they? Cosa sono?
What do you do?** Che cosa fai/Che lavoro fai?

* what's è la forma contratta
** Se si chiede what do you do? è implicito che si sia interessati ad avere notizie riguardo al lavoro, ovvero alla professione della persona a cui si fa la domanda.

la frase con *what* è così strutturata:

WHAT + **VERBO** + **...**

where (u-UM) dove

Where is Bob?
Dov'è Bob?
Where are the cats?
Dove sono i gatti?

la frase con *where* è così strutturata:

WHERE + **VERBO** + **...**

WHERE + FROM
Si utilizza per chiedere informazioni sul luogo di provenienza.

Where are you from?
Da dove (pro)vieni?
Where is this boy from?
Da dove (pro)viene questo ragazzo?

how (h-ao) come

How are you? Come stai?
How is she? Come sta lei?
How are they? Come stanno?
How is your father? Come sta tuo padre?

la frase con *how* è così strutturata:

HOW + **VERBO** + ...

Where is the train station, please? Dov'è la stazione del treno per favore?
Where is the **bus stop**, please? (fermata del autobus)
Where is the **supermarket**, please? (supermercato)
Where is the **bureau de change**, please? (è il posto dove si cambiano i soldi, noi inglesi usiamo questo termine francese)
Where are the **shops**, please? (i negozi)
Where is the **chemist's**, please? (farmacia)
Where is the **hospital**, please? (ospedale)
Where is the **post office**, please? (ufficio postale)
Where is the **men's/ladies room***, please? (bagno)
Where is the **cash point**, please? (bancomat)

*men's o ladies' room è «stanza degli uomini» o «stanza delle signore»: è un modo carino per riferirsi ai bagni.

directions

Dove posso...?

Where can I buy a map, please? Dove posso comprare una mappa, per favore?

to buy	(*bai*)	comprare
to find	(*faind*)	trovare
to rent	(*rent*)	affittare
to change	(*cianging*)	cambiare
to wash	(*uosc'*)	lavare
to see	(*sì*)	vedere
to report	(*riport*)	denunciare
euro	(*iurou*)	gli euro
clothes	(*clou-TH-zz*)	vestiti
theft	(*Th-eft*)	furto
bike	(*baik*)	bici
typical English food	(*tipikal inglisc fuud*)	cibo inglese tipico
tickets for	(*tikits foo*)	biglietti per

EURO

Anche se tanta gente usa "euros" come plurale dell'euro, questo non è corretto. Il plurale di EURO è sempre EURO: 1 euro, 2 euro.

ESERCIZIO n. 4

1. Dove posso cambiare gli euro, per favore? ....

   ....

2. Dove posso lavare i miei vestiti, per favore? ....

   ....

3. Dove posso denunciare un furto, per favore? ....

   ....

4. Dove posso affittare una bici, per favore? ....

   ....

5. Dove posso vedere un film, per favore? ....

   ....

6. Dove posso trovare del tipico cibo inglese, per favore? ....

   ....

7. Dove posso comprare biglietti per lo show, per favore? ....

   ....

8. Dove possiamo trovare una farmacia, per favore? ....

   ....

9. Dove posso comprare una macchina fotografica, per favore? ....

   ....

10. Dove possiamo trovare un vocabolario di inglese, per favore? ....

    ....

prepositions

In inglese esiste una regola per l'uso delle preposizioni, the English preposition rule, e questa è la struttura della frase:

PREPOSIZIONE + NOME

Con nome intendiamo:

i nomi, accompagnati da uno o **più aggettivi**;
i nomi propri;
i pronomi;
il gerundio, che in questo caso viene inteso come un nome.

Le preposizioni non possono mai essere seguite da un verbo.

Le preposizioni sono la colla della frase. Grazie al loro uso, possiamo fare già delle frasi più complete e ricche di informazioni. Ecco quelle più usate:

aboard	a bordo
about	circa, riguardo a
above	sopra senza contatto
after	dopo
across	attraverso, da una parte all'altra
against	contro
among	tra più di due cose
around	attorno, intorno
before	prima
behind	dietro
beyond	oltre
below	sotto

beside	accanto
between	tra due cose
by	vicino, entro (temporale)
despite	nonostante
down	giù
during	durante
except	tranne, eccetto
far	lontano
for	per
from	da
in	in/dentro
in front of	davanti
inside	dentro/all'interno
like	come, simile a
near	vicino
of	di
off	via da
on	su/sopra con contatto
opposite	di fronte a
out of	fuori
outside	fuori/al di fuori di
plus	più, in aggiunta
regarding	che riguarda, riguardante
since	da allora, poiché, dato che
than	di, che, di quanto
through	attraverso
to	a
towards	verso
under	sotto
unlike	a differenza di
until	fino a (con significato temporale)
up	su
with	con
within	entro, all'interno
without	senza

to go/walk	*(gou/uook)*	andare (a piedi)
to turn	*(t-UM-n)*	girare
to go/walk straight on	*(strait on)*	andare dritto
to go/turn left	*(t-UM-n left)*	girare a sinistra
to go/turn right	*(t-UM-n rait)*	girare a destra
at the end of	*(at the end ov)*	alla fine del
at the corner	*(at the coone)*	all'angolo
at the traffic lights	*(traffik laits)*	al semaforo
at the roundabout	*(raundabaut)*	alla rotonda
around the roundabout	*(araund the raundabaut)*	intorno alla rotonda
exit	*(exit)*	uscita
over the bridge		sul ponte
near	*(nia)*	vicino
in front of	*(in front ov)*	davanti a
you'll see a..		vedrai un
you'll come to a...		arrivi a...
until you see…		finché vedi…
and you are there!		e sei arrivato!
then ask someone		poi chiedi a qualcuno
near here		qui vicino
bridge		ponte
next to		accanto
opposite		di fronte

ESERCIZIO n. 5

1. Mi scusi, dov'è Buckingham Palace? ....
....
2. Scusi, c'è un cinema qui vicino? ....
....
3. Vada dritto. Poi giri a destra al semaforo. ....
....
4. Giri a sinistra alla rotonda. Il supermercato è di fronte all'ospedale. ....
....
5. Attraversi il ponte. Poi vedrà un ufficio postale. La farmacia è di fianco.
....
6. Vada sempre dritto finché non vedrà un bar. E poi chieda a qualcuno lì.
....
7. Giri a destra all'angolo. ....
8. Arriverà a una vecchia chiesa. Il fruttivendolo è davanti a essa. ....
....
9. Scusi, dov'è Downing Street? A destra o a sinistra? ....
....
10. Mi scusi, dov'è il Big Ben? A Londra! ....
....

ROAD OR STREET?

ROAD *(roud)* è una strada, che può non avere delle case a fianco.
STREET *(striit)* è una strada in cui trovate anche case, negozi ecc.

lane (*lain*)
è una corsia

path (*pa-th con "th" senza nota*)
è un sentiero

cul-de-sac (*cul di sac*)
è una strada senza uscita

crescent (*kresent*)
è una strada a forma di curva

motorway (*motewai*)
è un'autostrada

TAXI

In tutto il mondo, in ogni Paese e in ogni lavoro, ci sono delle persone con pochi scrupoli. Io non sto dicendo che tutti i tassisti (in tutto il mondo!) sfruttino un po' chi è nuovo della zona ma... per sicurezza uso sempre questo trucco. Prima di andare in un posto nuovo, faccio una ricerca su Internet per vedere cos'altro c'é in quella strada. Può essere un supermercato, un cinema... quello che volete. Poi, quando entro in taxi dico:

«Via XXX, please, ma... c'è ancora il cinema lì?»

Il tassista può o meno conoscere la risposta, ma l'importante è che lui pensi che voi ci siete già stati ed è improbabile che faccia un giro lungo... ecco!

THE ADVENTURES OF MARIO AND OLIVIA

Mario guarda Olivia, che ha già cominciato a sbuffare.

Per non litigare appena scesi dall'aereo, anziché attendere l'autobus (per ore!), decide di prendere un TAXI.

Non sapendo prorpio dove dirigersi, Mario decide, quindi, di chiedere a un ragazzo (R) che mette in ordine i carrelli.

M: «*Excuse me, where are the taxis, please?*»

R: «*In front of the airport!*»

Arrivati al parcheggio dei taxi, proprio di fronte all'aeroporto, Mario fa un cenno a un tassista, *taxi driver* (TD), e sale con Olivia nel taxi numero 17!

M: «*Hello, Sir.*»

TD: «*Hello.*»

Olivia, ovviamente, sta già lamentandosi:

per l'odore sgradevole,

per il traffico

e per il numero del taxi… con tutti quelli che c'erano, proprio il numero 17!

M: «*The King Hotel, please… Black Street.*»

TD: «*Ok.*»

M: «*Is the theatre still there on Black Street?*»
«C'è ancora il teatro in Black Street?»

TD: «*Damn!*» «Ci puoi scommettere!»

Mezzi di trasporto
To get to
To get on/off
At the hotel
Misadventures
Bookings

The city (by day)
La città di giorno

How long
Avverbi di frequenza

Un taxi nero (a Londra i taxi sono quasi tutti neri) proietta Mario e Olivia nel cuore della città, verso il loro albergo. Guardano fuori dai finestrini: tutti quegli autobus rossi, e le cabine telefoniche rosse, non vedono l'ora di tuffarsi nella vita londinese. *Let's go*...

mezzi di trasporto

Una domanda molto comune che vi faranno le persone a cui chiederete indicazioni è:

Are you on foot or by car? *(UD iu on fut oo bai c-UD)*
È/Siete a piedi o in macchina?

BY

to go ON foot	andare a piedi
to go **BY** car	andare con la macchina

BY train	*(trein)*	
BY bus	*(b-UV-s)*	
BY coach	*(couc')*	autobus che si spostano fra due città diverse
BY underground*	*(UV-ndegraund)*	metropolitana
BY bicycle	(*biassicol*)	bicicletta
BY boat	(*bout*)	barca
BY ferry	(*feri*)	traghetto
BY ship	(*scip*)	nave
BY motorbike/moped	*(moped)*	moto/motorino
BY camper/caravan	*(camp-UD)*	caravan/roulotte

*A Londra la metropolitana viene familiarmente chiamata **TUBE**.

to get to

In inglese non si dice «How can I arrive at...?» per dire «Come faccio ad arrivare a...», ma si usa la frase: «How can I get to...?».

TO GET TO *(tu get tu)* significa quindi «**Arrivare a...**»

You need to take two trains to get to Scotland. Bisogna prendere due treni per arrivare in Scozia.

How can I get to the King Hotel? Come posso arrivare al King Hotel?

line	linea
right	giusto
map	cartina
crowded	affollato
next	successivo

ESERCIZIO n. 6

1. Come faccio ad arrivare in Oxford Street? ....
   ....
2. Che linea prendo per andare a...? ....
   ....
3. Mi scusi, questa è la strada giusta per Hyde Park? ....
   ....
4. Ha una cartina della metropolitana? Come si arriva a Piccadilly Circus?
   ....
5. Può andare in macchina oppure in treno e in traghetto. ....
   ....
6. Questo ferry è troppo affollato. Prendiamo il successivo. ....
   ....

how long

Quanto dura? Quanto ci vuole? Ci vuole...

Per dire "quanto dura" o "quanto ci vuole?" in inglese si dice «quanto lungo prende»:

How long does it take?
Quando volete specificare il soggetto:
How long does it take (soggetto)?
How long does it take you to get to the city?

Si usa IT se non si specifica il soggetto (nel 90% dei casi non si specifica, perché si sa di cosa si parla)
How long does it take to eat a ton of apples? Quanto ci vuole per mangiare una tonnellata di mele?

How long does it take you to eat your lunch? Quanto ci metti per mangiare il pranzo?

HOW LONG + TO GET TO

Aggiungendo to get to guardate cosa si può fare...

How long does it take to get to the centre from here? Quanto ci vuole per arrivare al centro da qui?

How long does it take to get to Scotland from here? Quanto ci vuole per arrivare in Scozia da qui?

How long does it take to get to the supermarket from the hotel? Quanto ci vuole per arrivare al supermercato dall'albergo?

ESERCIZIO n. 7

1. Quanto tempo ci vuole per arrivare all'ospedale in autobus? ......
....
2. Quanto impiega il treno per arrivare a Norfolk? ....
....
3. Quanto tempo impieghi per arrivare al lavoro? ....
....
4. Quanto tempo ti ci vuole per fare questa traduzione? ....
....
5. Quanto tempo ci vuole per imparare l'inglese? ....
....
6. Quanto tempo ci vuole per avere questo documento? ....
....
7. Quanto tempo ci vuole per riparare la macchina? ....
....
8. Quanto impiega l'aereo per raggiungere Dublino? ....
....
9. Quanto tempo vi ci vuole per arrivare al cinema da casa? ....
....
10. Quanto tempo c'impieghi per fare la valigia? ....
....

to get on/off

To get on (a bus, a train) è salire.
to get off (a bus, a train) è scendere.
OUT OF A CAR è uscire/scendere dall'auto

You have to (tu devi!) **get on** the train at Victoria and then you have to **get off** at Ipswich.

SCUSA

Come si traduce SCUSA in inglese? Ci sono tre modi:

excuse me: si usa per attrarre l'attenzione di qualcuno;

sorry: per chiedere scusa dopo che si è arrecato un disturbo;

pardon: per chiedere di farsi ripetere qualcosa quando non si è capito bene.

+

Az

stop	fermata
centre	centro
art museum	museo d'arte

ESERCIZIO n. 8

MAN 1: Mi scusi, dov'è il museo d'arte?

MAN 2: Deve prendere il numero 2, scenda in centro, vedrà l'ufficio postale, lì può salire sul numero 7 per 2 fermate, poi lo vedrà.

MAN 1: Mi scusi, come posso arrivare al cinema in Baker Street?

MAN 2: Può prendere un taxi alla fine della strada o andare a piedi, ma ci vogliono 30 minuti.

MAN 1: Mi scusi! Dove posso vedere un film?

MAN 2: Al cinema.

MAN 1: Spiritoso! (Cheeky!)

MAN 2: Ahah ok... Vada a sinistra, al semaforo vada dritto, poi vedrà un pub... vada dritto finché non vede una rotonda, poi vada a sinistra ed è arrivato.

MAN 1: Mi scusi, dov'è la farmacia?

MAN 2: È a piedi o in macchina?

MAN 1: A piedi.

MAN 2: Ok, vada dritto finché non arriva alla fine della strada, giri a sinistra e vedrà un cinema, vada a destra al cinema e vada dritto per circa 200 iarde... lì chieda a qualcuno.

MAN 1: Mi scusi, dove è Penny Lane?

MAN 2: Vada a destra e vedrà la metropolitana. Scenda a Victoria Station. Lì prenda il treno per Liverpool. Alla stazione di Liverpool prenda l'autobus 43 davanti alla stazione, scenda dopo 7 fermate e vedrà Penny Lane.

MAN 1: Mi scusi, dove posso affittare una macchina, per favore?

MAN 2: Vada diritto, poi vada a destra e vedrà un "rent a car".

MAN 1: Grazie.

at the hotel

THE ADVENTURES OF MARIO AND OLIVIA

Il taxi nero si ferma proprio di fronte al *The King Hotel.*

M: «*How much, please?*»

TD: «*That'll be (that will be) 11 pounds 50, please.*»

Mario dà 12 sterline al tassista.

M: «*Keep the change.*» «Tenga il resto.»

TD: «*Thank you, Sir!*» «Grazie, signore!»

Finalmente Mario e Olivia entrano in albergo.

Dietro al bancone della reception (*riissepcion*) c'è un buffo signore (S) pronto ad accogliere Mario e Olivia.

M: «*Hello, we have booked a double room in the name of Russo.*» «Salve, abbiamo prenotato una camera doppia (per 2 persone) a nome Russo.»

O: «Chiedigli se il letto è divisibile, nel caso che russi come un trombone. Russo di nome e di fatto.»

Il buffo signore controlla sul computer.

S: «*Can I see some identification, please?*» «Posso vedere un documento, per favore?»

Mario e Olivia consegnano i loro passaporti.

S: «*Please, fill in this form.*» «Per favore, compili questo modulo.»

surname/forename	cognome/nome
middle initial/name	iniziale nel caso di secondo nome
address	indirizzo: via e numero civico
city/ postal code	città/ codice postale
province/country	provincia/nazione

M: «*Can we put some valuables in the safe please?*» *(can ui put som valiuabols in the saif)* «Possiamo mettere alcuni oggetti di valore in cassaforte?»

S: «*Certainly.*» «Certamente.»

M: «*At what time does the hotel close?*» «A che ora chiude l'albergo?»

S: «*We are **always** open, but if the doors are locked, just ring the bell.*» «Siamo sempre aperti, ma se le porte sono chiuse, suoni il campanello.»

avverbi di frequenza

Come dice la parola stessa, servono per indicare la frequenza con cui avviene o si compie un'azione. I più usati sono:

usually	di solito	never	mai
sometimes	a volte	often	spesso
always	sempre	rarely	raramente

L'avverbio di frequenza nella frase si mette tra soggetto e verbo, fatta eccezione per le frasi con il verbo ESSERE (*to be*); in questi casi l'avverbio di frequenza si mette dopo il verbo:

They sometimes play guitar. Loro a volte suonano la chitarra.
She never eats pizza. Lei non mangia mai pizza.
She is usually punctual. Lei di solito è puntuale.

THE ADVENTURES OF MARIO AND OLIVIA

Il buffo signore consegna a Mario le chiavi della stanza.

S: «*Here we are! Breakfast will be served from 8 to 10.*» «Eccoci! La colazione sarà servita dalle 8 alle 10.»

M: «*Can we have a wake up call at 7 o'clock, please?*» «Possiamo essere svegliati alle 7 in punto, per favore?»

S: «*Certainly, and if you want to make a call just press 0 first, for reception 9.*» «Certamente, e se volete fare una chiamata digitate prima lo 0, e poi 9 per la reception.»

S: «*The cleaning lady will clean your room at 10, unless you leave the "do not disturb sign" on your door.*» «La signora delle pulizie pulirà la stanza alle 10, a meno che non mettiate l'avviso "non disturbare" sulla porta.»

S: «*Here are the keys, second* ***floor****. You can take the lift or the stairs... go straight down the corridor and the stairs are on the right, you will see them.*» «Ecco le chiavi, secondo piano. Potete prendere l'ascensore o le scale... andate dritti lungo il corridoio poi andate a destra e le vedrete.»

M: «*Thank you.*» «Grazie.»

S: «*The porter will take your bags.*» «Il portiere vi porterà le borse.»

O: «Gli conviene!»

FLOOR (*FLOO*) PIANO

I piani di un edificio sono diversi in Inghilterra: il piano terra è già il primo piano, quindi il secondo piano di un inglese è il primo piano di un italiano.

Gli inglesi ne saltano sempre uno, insomma!

THE ADVENTURES OF MARIO AND OLIVIA

Mentre Mario e Olivia studiano il piano d'evacuazione dall'albergo (non si sa mai!) entra una giovane coppia napoletana, Gennaro (G) e Imma (I). Urlano un pochettino.

Olivia, costretta dal suo DNA femminile a non farsi mai i fatti suoi, comincia ad ascoltarli.

G: «*Hello, I'd like to book a room for tonight, please.*» «Salve, vorrei prenotare una stanza per stasera, per favore.»

S: «*Certainly, a double?*» «Certamente, una camera doppia?»

G: «*Yes, please.*» «Sì, grazie.»

S: «*Let me see if we have one available.*» «Mi faccia vedere se c'è una camera disponibile.»

I: «Costerà un sacco 'sto posto!»

S: «*Yes, we have one. How long will you be staying?*» «Sì, ne abbiamo una, per quanto tempo vi fermate?»

G: «*Just one night, thank you. How much is it?*» «Solo una notte, grazie. Quant'è?»

S: «*That'll be 120 pounds please, excluding VAT (vi ei ti)*.» «Sono 120 sterline, per favore, IVA esclusa.»

G: «Miiiiiii...»

I: «Te l'avevo detto!»

G: «*Is breakfast included?*» «La prima colazione è inclusa?»

I: «Per 120 sterline pretendo che me la faccia lui!»

S: «*Certainly, Sir.*» «Certamente, signore.»

G: «*Do you accept VISA?*» (du iu akssept visa) «Accettate carte VISA?»

S: «*Of course.*» «Certo.»

I: «Di corsa la prende, ci credo!»

Olivia segnala la sua solidarietà italo-femminile con una serie di sbuffi, augurandosi che il portiere non abbia fretta, perché finalmente comincia a divertirsi...

JUST E ONLY

Hanno entrambi lo stesso significato, e significano **«solo»**.

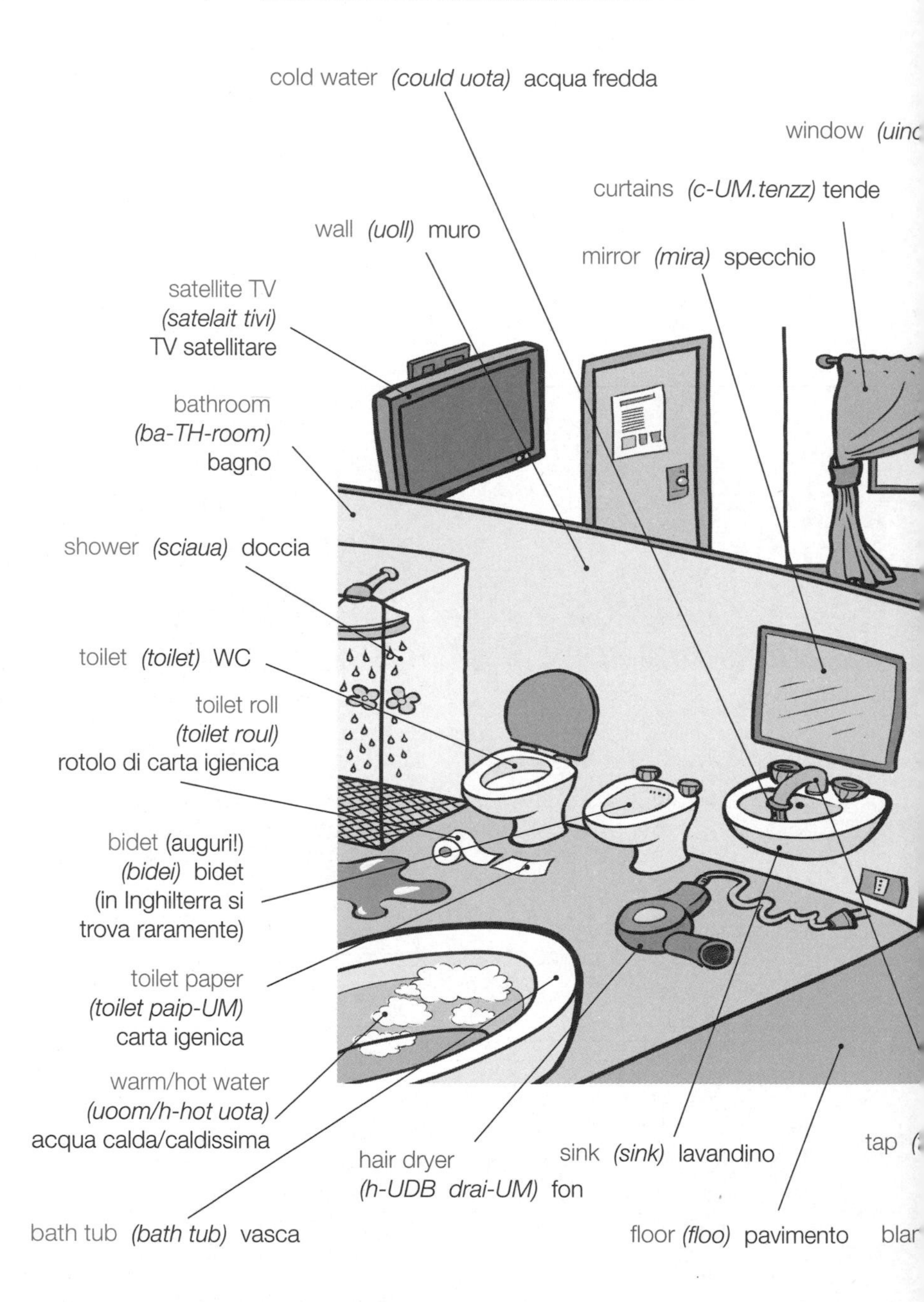
cold water *(could uota)* acqua fredda
window *(uinc*
curtains *(c-UM.tenzz)* tende
wall *(uoll)* muro
mirror *(mira)* specchio
satellite TV *(satelait tivi)* TV satellitare
bathroom *(ba-TH-room)* bagno
shower *(sciaua)* doccia
toilet *(toilet)* WC
toilet roll *(toilet roul)* rotolo di carta igienica
bidet (auguri!) *(bidei)* bidet (in Inghilterra si trova raramente)
toilet paper *(toilet paip-UM)* carta igenica
warm/hot water *(uoom/h-hot uota)* acqua calda/caldissima
hair dryer *(h-UDB drai-UM)* fon
sink *(sink)* lavandino
tap
bath tub *(bath tub)* vasca
floor *(floo)* pavimento
blar

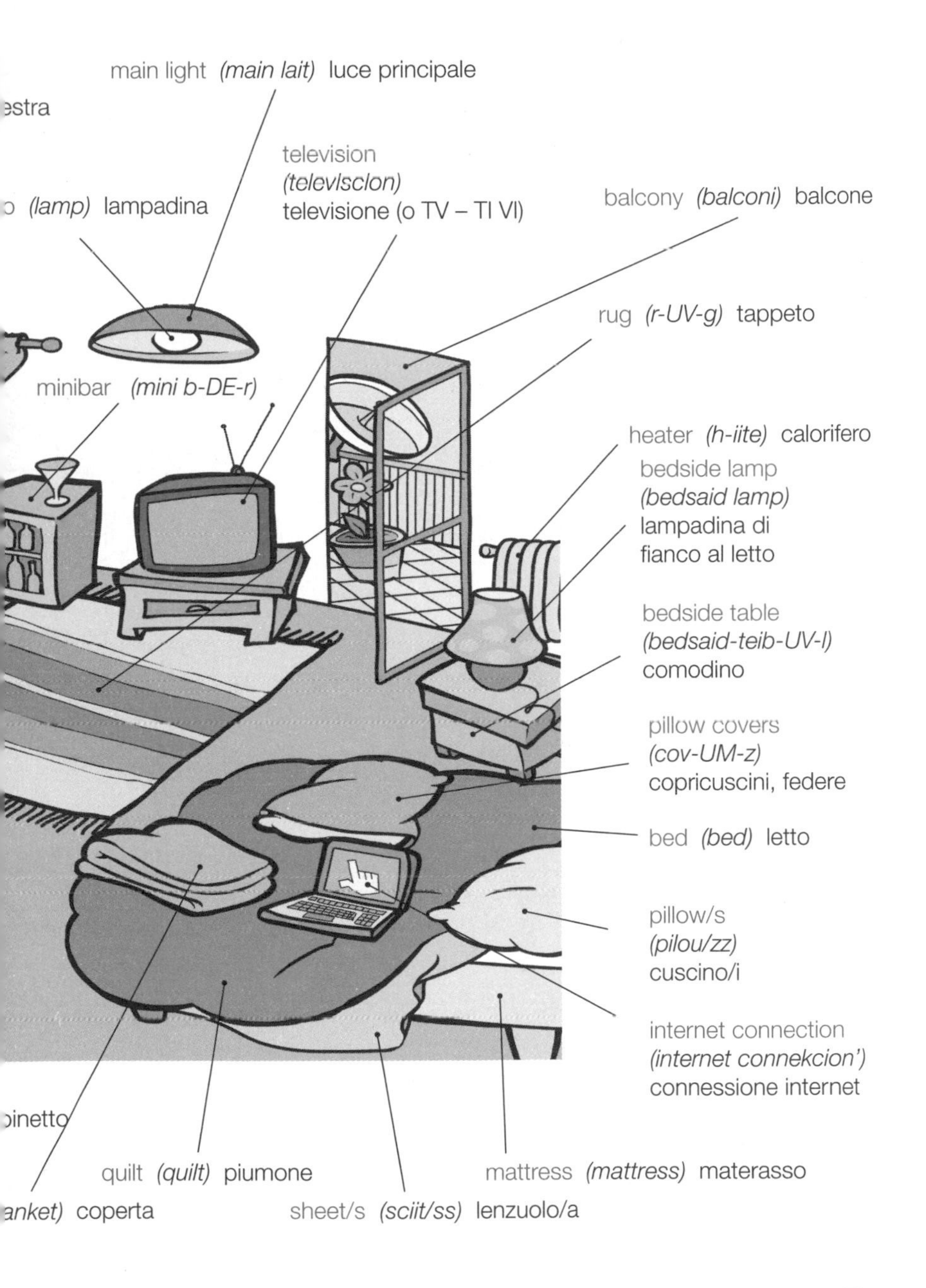
main light (main lait) luce principale
estra
o (lamp) lampadina
television
(televiscion)
televisione (o TV – TI VI)
balcony (balconi) balcone
rug (r-UV-g) tappeto
minibar (mini b-DE-r)
heater (h-iite) calorifero
bedside lamp
(bedsaid lamp)
lampadina di
fianco al letto
bedside table
(bedsaid-teib-UV-l)
comodino
pillow covers
(cov-UM-z)
copricuscini, federe
bed (bed) letto
pillow/s
(pilou/zz)
cuscino/i
internet connection
(internet connekcion')
connessione internet
oinetto
quilt (quilt) piumone
mattress (mattress) materasso
anket) coperta
sheet/s (sciit/ss) lenzuolo/a

misadventures

In inglese **to work** *(u-UM-k)* è un verbo che vuol dire **«lavorare»**, ma anche **«funzionare»**.

The television doesn't work.
La televisione non funziona.
The sink isn't clean (*cliin*).
Il lavandino non è pulito.
The bed is broken (*brouken*).
Il letto è rotto.
The room is too hot/cold (*the ruum is tu hot/could*).
La camera è troppo calda/fredda.
The air-conditioning system is making a noise.
L'aria condizionata fa rumore.
The radio in the room above is too loud.
La radio nella stanza di sopra è troppo alta.

THE ADVENTURES OF MARIO AND OLIVIA

Alle 19.00, dopo un riposino, Mario e Olivia decidono di uscire a mangiare.

O: «Prima mi devo fare bella!»

M: «Ma allora perdiamo l'aereo!»

Olivia non si vuole arrabbiare e si chiude in bagno per un'ora. Poi esce furiosa.

O: «Il fon è rotto. E la coperta del letto è nera, guarda! Vai a dirlo a qualcuno, invece di stare qui a far battute stupide.»

Senza parole.

Ora Mario deve dire alla cameriera che il fon non funziona e la coperta del letto non è pulita...

TO TURN

Can you **turn up/turn down** the volume? (*can you T-UM-n up/ t-um-n daun the volium)* Può alzare/abbassare il volume?

How do I **turn on/turn off** the...? (*hau du ai tern on/ tern off the...*) Come faccio ad accendere/spegnere...?

mistake	errore
noisy	rumoroso
soft	morbido
tap	rubinetto
to drip	perdere
to make the bed	rifare il letto
towel	asciugamani
key	chiave
heating	riscaldamento

ESERCIZIO n. 9

1. C'è stato un errore. Avevo chiesto una camera con la doccia. ....
   ....
2. La finestra non si chiude. ....
   ....
3. La camera è troppo rumorosa. ....
   ....
4. Il letto è troppo morbido. ....
   ....
5. Il rubinetto perde. ....
   ....
6. Il letto non è stato rifatto. ....
   ....
7. Gli asciugamani non sono stati cambiati. ....
   ....
8. Ho perso la chiave della stanza. ....
   ....

9. Non c'è acqua calda. ....
....
10. Il riscaldamento non funziona. ....
....

THE ADVENTURES OF MARIO AND OLIVIA

Dopo una breve discussione, Mario e Olivia decidono di andare a mangiare inglese.

O: «Io non mi fido!»

M: «Senti, non puoi andare in un altro Paese e mangiare italiano! Devi provare tutto della cultura nuova, compreso il cibo. Pensa che ci sono dei Paesi dove mangiano anche i cervellini delle scimmie. E se fossi in quel Paese, io li proverei.»

O: «Saresti un cannibile! Ti conviene star lontano da dove mangiano il cervellino delle scimmie, metterebbero subito la tua testa su un piatto... Non che ci sia molto da mangiare! Aahahahah!»

Mario chiede al signore buffo della reception il numero di un buon ristorante lì vicino e telefona al tipo del ristorante (TDR) per prenotare un tavolo.

Olivia non è ancora convinta. "A me hanno detto che il cibo inglese è veleno per i nostri stomaci delicati!"

bookings

Quando si parla di prenotare in inglese si usa il verbo to book.

Ho prenotato una camera con due letti/TV/aria condizionata. I have booked a room with two beds/TV/air conditioning.
Vorrei prenotare una stanza per stasera, per favore. I'd like to book a room for tonight, please.
Vorrei un tavolo per due, per favore. I'd like to book a table for two, please.

THE ADVENTURES OF MARIO AND OLIVIA

M: «*Hello? Is that PUKE AND PIE?*» «Pronto, PUKE AND PIE?»

TDR: «*Yes, Sir, good evening.*» «Sì, signore, buona sera.»

M: «*Good evening, I'd like to book a table for two, please.*» «Buona sera. Vorrei prenotare un tavolo per due persone, per favore.»

TDR: «*Certainly, Sir, for what time?*» «Certamente, signore, per che ora?»

M: «*For eight o'clock, please.*» «Per le otto, per favore.»

TDR: «*Ok that's fine, and your name, please?*» «Ok va bene, e il suo nome, per favore?»

M: «*RUSSO. That's R-U-S-S-O.*» «RUSSO. Signor R-U-S-S-O.»

TDR: «*Ok, your table for two will be ready at eight, Mr. Russo.*» «Ok, il suo tavolo per due persone sarà pronto alle otto, Sig. Russo.»

M: «*Thank you. Bye.*» «Grazie. Arrivederci.»

TDR: «*Bye, Sir.*» «Arrivederci, Signore.»

Quando Mario mette giù il telefono, Olivia lo guarda in modo strano, poi si rivolge a Mario con sarcasmo.

O: «Quanto tempo ho ancora da vivere?»

M: «Se vai avanti così, non molto!»

Establishments
At the restaurant
At the hospital
The police station
Car hire
The accident

The city (by night)
La città di notte

Will
Anatomy
On the move: at the train station

Mario e Olivia, dopo essersi riposati in albergo, sono pronti per tuffarsi nella notte londinese… che sembra proprio avere in serbo per loro tante avventure, più o meno piacevoli!

establishments

In Inghilterra, anche se vogliono far credere che sia praticamente impossibile mangiare, si può sgranocchiare qualcosa in un sacco di posti.

bar:
qui si possono bere alcolici.
café e coffee shop:
per bere bevande non alcoliche e per mangiucchiare qualcosa.
diner: pasti, panini e dolci a prezzo conveniente.
fast food restaurant:
non c'è bisogno di presentazioni...
fish and chip shop:
typical English food!
pub:
un'istituzione! All'ora di pranzo si può mangiare uno spuntino, di sera si beve (alcolici e non) e si socializza.
restaurant:
il prezzo varia a seconda del tipo di cucina; quella europea è più costosa di quella orientale.
sandwich shop:
panineria.
snack bar:
per spuntini e bevande analcoliche.
steak house:
il regno della carne...
take-away:
qui si compra e basta, poi il cibo si mangia dove si vuole.
tearoom:
per gli amanti del tè, dei biscotti e delle torte.
wine bar:
enoteca, a volte offre anche la possibilità di abbinare al vino uno spuntino.

Ora che il signore buffo della reception ha chiamato il taxi, a Mario non resta che chiedere al tassista quanto tempo ci vuole per arrivare al ristorante...

at the restaurant

cutlery	posate	cake	torta/dolce
fork	forchetta	bread	pane
knife	coltello	biscuits	biscotti
spoon	cucchiaio	cheese	formaggio
napkin	tovagliolo	ice-cream	gelato
speciality	specialità	dessert	(il) dolce
fruit	frutta	sandwich	panino
vegetables	verdura	hamburger	hamburger
salt	sale	cream	panna
pepper	pepe	flour	farina
dressing	condimento	cereals	cereali
oil	olio	olive oil	olio d'oliva
vinegar	aceto	to bring	portare
sauce	salsa	to add	aggiungere
fish	pesce	to be allergic to...	essere allergico a...
meat	carne	service	servizio
egg	uovo		
pasta	pasta		

MAIN COURSE

letteralmente sarebbe «**portata principale**», quindi può indicare un primo o un secondo piatto.

ESERCIZIO n. 10

1. Mi può portare una forchetta, per favore? ....

   ....

2. Mi manca il tovagliolo. ....

   ....

3. Il servizio è compreso? ....

   ....

4. Per favore, non aggiunga salse alla carne. ....

   ....

5. Non posso mangiare pomodori e formaggio. ....

   ....

6. Sono allergico al pesce. ....

   ....

7. Questa carne non è cotta bene. ....

   ....

8. Mio marito non ha ordinato questo. ....

   ....

9. Ha dimenticato di portarmi il condimento. ....

   ....

10. Vorrei dell'altro vino, per favore. ....

   ....

THE ADVENTURES OF MARIO AND OLIVIA

Mario e Olivia arrivano a destinazione ed entrano nel ristorante. Un cameriere, *waiter* (*uait-UM*) (W) arriva subito da loro.

W: «*Good evening, have you booked a table?*» «Buona sera. Avete prenotato un tavolo?»

M: «*Yes, under the name RUSSO.*» «Sì, con il nome Russo.»

W: «*Yes, here we are, please come this way.*» «Sì, eccolo, per favore, seguitemi.»

Appena si sono accomodati al loro tavolo, il cameriere porta a Olivia e Mario il menu.

Olivia "studia" il menu come se ci fosse scritta una selezione delle peggiori parolacce che esistano in italiano.

O: «Che roba strana!»

M: «Ma se non sai nemmeno cosa sono "'sti cosi"...»

O: «Questo cos'è? *Steak and kidney pie?*»

M: «È una torta salata molto amata dagli inglesi, sono pezzi di manzo e reni in un brodo di sangue e lievito.»

Olivia diventa improvvisamente verde come un semaforo!

O: «Oh mamma mia! Guarda... se mi volevi avvelenare, potevi usare il cianuro come fanno tutti.»

M: «Olivia, cosa vuoi mangiare?»

Olivia fa una lunga pausa di riflessione.

O: «Sorprendimi, per una volta!»

Il cameriere prende la penna.

W: «*Are you ready to order?*» «Siete pronti per ordinare?»

Az

red/white wine	vino rosso/bianco
salmon	salmone
roast potatoes	patate arrosto
to recommend	consigliare
to be allowed to	potere/avere il permesso di
to prepare	preparare
dish	piatto

ESERCIZIO n. 11

1. Vorrei iniziare con... ....
2. Prendo il salmone con le patate al forno. ....
   ....
3. Il secondo lo ordiniamo più tardi. ....
   ....
4. Prendiamo una bottiglia di vino rosso francese. ....
   ....
5. Che cosa ci consiglia? ....
   ....
6. Non posso mangiare pesce. ....
   ....
7. Potrei avere ancora un po' di...? ....
   ....
8. Si può preparare questo piatto senza... ....
   ....
9. Avete del gelato? ....
10. Possiamo avere il conto, per favore? ....
   ....

will

Si usa will come futuro indicativo nel momento in cui si decide di fare una cosa, e la si fa volontariamente.

FORMA AFFERMATIVA

Nella forma affermativa will anticipa il verbo e segue il soggetto.

la frase affermativa è così strutturata:

SOGGETTO + ***WILL*** + **VERBO** + **COMPLEMENTO**

FORMA NEGATIVA

Per la forma negativa si utilizza sempre will, seguito da not prima del verbo.

la frase negativa è così strutturata:

SOGGETTO + ***WILL*** + ***NOT*** + **VERBO** + **COMPLEMENTO**

FORMA INTERROGATIVA

Nella forma interrogativa will precede il soggetto e il verbo, e introduce, quindi, la domanda.

la frase interrogativa è così strutturata:

WILL + **SOGGETTO** + **VERBO** + **COMPLEMENTO**

Spesso, invece di dire I will usiamo la forma abbreviata I'll.

La negazione, I will not è spesso abbreviata in I won't.

THE ADVENTURES OF MARIO AND OLIVIA

M: «*Yes, thank you. For the starter we'll have the mixed salad without nuts, my wife is allergic to nuts.*» «Sì grazie, come antipasto prendiamo l'insalata mista senza noci, mia moglie è allergica alle noci.»

Il cameriere scrive tutto.

W: «*And for your second course?*» «E di secondo?»

M: «*We'll have the fish and chips please.*» «Prendiamo il pesce con le patatine, per favore.»

W: «*To drink?*» «Da bere?»

M: «*What do you recommend?*» «Cosa consiglia?»

W: «*We have water,* sparkling and still*, beer or English wine, sparkling or dry.*»

O: «Cos'ha detto?»

M: «Ha detto che hanno acqua, frizzante e naturale, birra o aceto inglese.»

O: «Aceto?!»

M: «Vino, frizzante o secco.»

M: «*I'll have a pint of beer and a glass of sparkling water for my wife. Thank you.*» «Io prendo una pinta di birra e mia moglie un bicchiere di acqua frizzante, per favore.»

W: «*Very good, Sir.*» «Bene, signore.»

Olivia sembra preoccupata. Arriva l'antipasto.

W: «*Enjoy your meal.*» «Buona cena.»

Olivia non perde tempo per un suo commentino.

O: «Sì! Gioia mia, anche a te…»

Olivia esamina l'antipasto come uno scienziato con una nuova specie d'insetto in provetta.

Poi arriva il **fish and chips** e da lì in poi va tutto male...

O: «L'acqua è troppo fredda, DILLO!»

M: «*Waiter, the water is too cold and my beer is too warm, could you change them, please?*» «Cameriere, l'acqua è troppo fredda e la mia birra è troppo calda, può cambiarle, per favore?»

W: «*I'm sorry. I'll change them immediately.*» «Mi dispiace. Li cambio subito!»

La catastrofe sembra evitata, ma dopo solo qualche boccone, Olivia rimane immobile.

O: «Non mi sento bene. Anzi, ho un dolore forte allo stomaco, Mario.»

M: «*Waiter! Could you please call a doctor?*» «Cameriere, potrebbe per favore chiamare un dottore?»

W: «*Certainly, Sir.*» «Certamente, signore.»

Ma Olivia improvvisamente è a terra, svenuta.

M: «*Call an ambulance!*» «Chiami un'ambulanza!»

Il cameriere chiama un'ambulanza, poi torna da Mario, che sta assistendo Olivia.

W: «*Would you like your dessert while you're waiting?*» «Vuole un dolce finché aspetta?»

M: «*No dessert thank you, could I have the bill, please?*» «Niente dolce, grazie, posso avere il conto, per favore?»

L'ambulanza arriva.

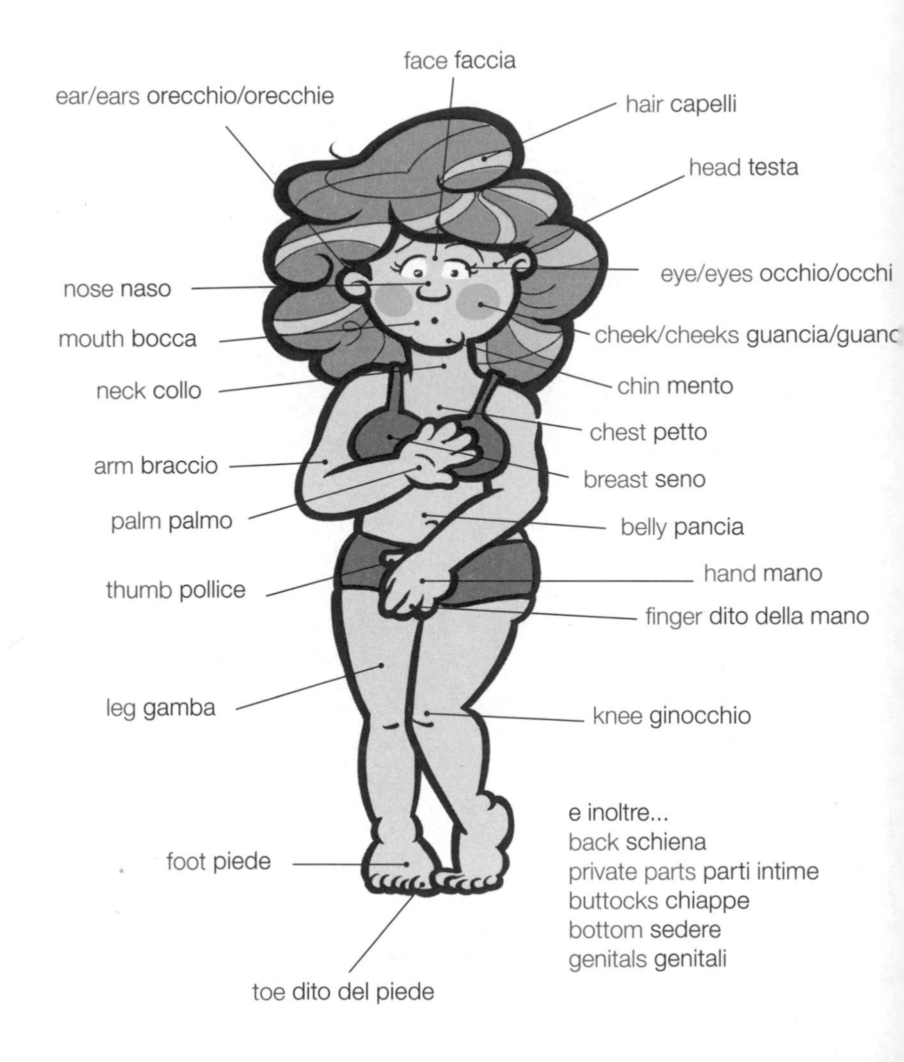
face faccia
ear/ears orecchio/orecchie
hair capelli
head testa
nose naso
eye/eyes occhio/occhi
mouth bocca
cheek/cheeks guancia/guanc
neck collo
chin mento
chest petto
arm braccio
breast seno
palm palmo
belly pancia
hand mano
thumb pollice
finger dito della mano
leg gamba
knee ginocchio
e inoltre...
back schiena
private parts parti intime
buttocks chiappe
bottom sedere
genitals genitali
foot piede
toe dito del piede

anatomy

Adesso abbiniamo le parti più importanti del corpo (è fondamentale capire come siete fatti, se vi trovate a dover parlare di voi!) con i verbi o le espressioni collegati a ciascuna di esse che vi saranno certamente utili.

THE HEAD
Partiamo, dall'alto, dalla TESTA. Innanzitutto ci sono i capelli (se ci sono!), HAIR. Questa parola è molto usata in inglese: noi la usiamo per tutti i peli, aggiungendo poi la parte del corpo in questione (arm hair, chest hair, leg hair).

THE EYES
E adesso tocca agli OCCHI. Sono collegati a uno dei 5 sensi.
The sense of sight (la vista)
to see-saw-seen (vedere, azione involontaria)
to look-looked-looked/to watch-watched-watched* (guardare, azione volontaria)

* Si usa to look (at) per portare l'attenzione sull'aspetto fisico di qualcuno o qualcosa, e at è come una freccia, un indicatore. Si usa to watch per indicare l'azione che qualcuno o qualcosa sta compiendo.

THE NOSE
Il NASO, come gli occhi, è collegato a uno dei 5 sensi.
The sense of smell* (l'olfatto)
to smell-smelled-smelled (odorare/annusare)

* Oltre al verbo to smell esiste anche il sostantivo smell, che vuol dire «odore». Come sostantivo è neutro finché non si aggiunge un aggettivo. Si potrà avere un buon profumo, a good smell oppure una puzza, a bad smell.

THE EARS

E adesso passiamo alle ORECCHIE, anch'esse collegate a uno dei 5 sensi.

The sense of hearing (l'udito)
to hear-heard-heard (sentire/udire, azione involontaria)
to listen-listened-listened* (ascoltare, azione volontaria)

* Si usa listen (to) per mettere in evidenza qualcosa che si sta ascoltando, e to è come una freccia, un indicatore.

THE MOUTH

Infine, la BOCCA prende parte a un'attività davvero fondamentale:
to breathe-breathed-breathed (respirare)

E, grazie alla lingua, è collegata a uno dei 5 sensi.
The sense of taste (il gusto)
to taste-tasted-tasted (assaporare/sentire/gustare)

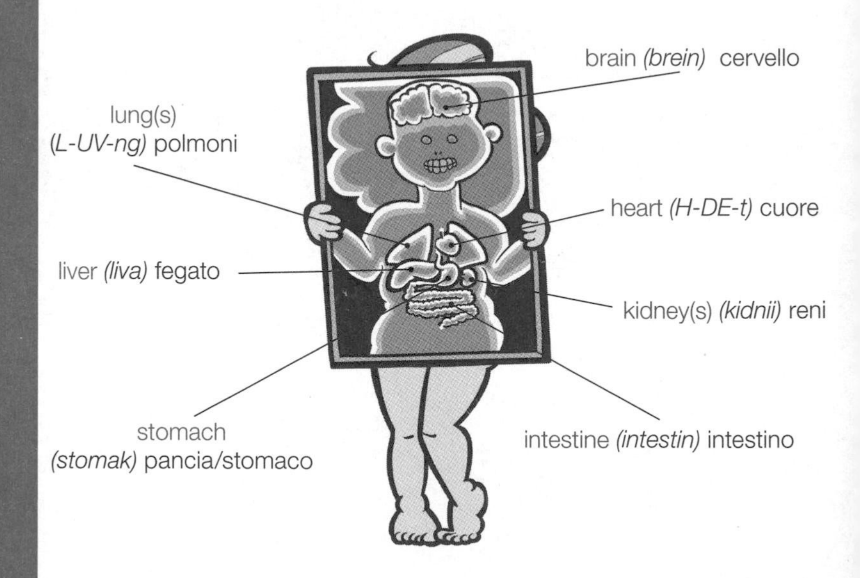

at the hospital

È altrettanto importante sapere come esprimere il **dolore**. Quando una parte del corpo fa male, in inglese si costruisce la frase indicando prima "la parte" e aggiungendo poi il verbo **to hurt** (fare male).

My eyes hurt. Mi fanno male gli occhi.
My legs hurt. Mi fanno male le gambe.

In inglese, to feel (*fiel*) è «sentire fisicamente», ma anche «sentire emotivamente», proprio come in italiano.

Do you feel well? Ti senti bene?
No, I don't feel well. No, non mi sento bene.

PAIN

Per esprimere il dolore, la costruzione che si usa è:
I have (a) pain in my...
I have (a) pain in my left leg. Ho un dolore alla gamba sinistra.
I have (a) pain in my right eye. Ho un dolore all'occhio destro.
I have (a) pain in my stomach. Ho un dolore allo stomaco.
I have (a) headache. (*hedaik*) Ho mal di testa.
I have toothache. (*tuu-th-aik*) Ho mal di denti.

to feel dizzy	avere giramenti di testa
temperature	febbre
to vomit	vomitare
to feel nauseous	avere la nausea
weak	debole
to suffer	soffrire
medicine	medicina
shiver	brivido
to keep + gerundio	continuare a fare qualcosa
to write somebody a prescription for…	fare una ricetta a qualcuno per…

ESERCIZIO n. 12

1. Non riesco a muovere la gamba sinistra. ....

....

2. C'è un medico che parla italiano? ....

....

3. Mi gira la testa. ....

4. Ho la febbre. ....

5. Continuo a vomitare. ....

6. Mi sento debole. ....

7. Ho la nausea. ....

8. Soffro di… ....

9. Può farmi una ricetta per questa medicina? ....

....

10. Ho i brividi. ....

THE ADVENTURES OF MARIO AND OLIVIA

Finalmente, al pronto soccorso, un medico, *doctor* (D) si appresta a visitare Olivia.

O: «Dillo che ho un fortissimo dolore allo stomaco.»

M: «*She has a pain in her stomach.*»

D: «*Ok, I'd like to keep her in 3 or 4 hours for observation.*»

Olivia è molto preoccupata.

O: «Ma cosa ha detto?»

M: «Ti vuole tenere qui in osservazione per qualche ora.»

O: «Cosa vuol dire? Che sta qui a guardarmi mentre dormo?»

M: «No, ti tengono solo per precauzione. Comunque se non volevi finire il *fish and chips* potevi dirlo invece di fare tutta questa scena!»

Oliva sorride. Poi, improvvisamente, il sorriso sparisce.

O: «Dove è la mia borsa?»

M: «Non lo so, non la porto io la tua borsa! L'avrai lasciata al ristorante.»

O: «Ma io ero per terra, stavo morendo, dovevo anche ricordarmi della borsa?! Vai subito a prenderla!»

Mario va dal dottore, zitto zitto, in silenzio.

M: «*Could I have the number of the local taxi service, please?*» «Potrei avere il numero dei taxi di zona, per favore?»

D: «*I'm sorry, but they have just announced a taxi strike on TV. No more taxis tonight!*»
«Mi dispiace, ma hanno appena annunciato uno sciopero dei taxi, non ci sono più taxi stasera.»

M: «*How do I get to Black Street from here?*»
«Come faccio ad arrivare a Black Street da qui?»

Il dottore indica la strada a Mario: «Deve prendere l'ascensore e andare al piano terra... (ora traducete voi!) Esca dall'ospedale, vada dritto finché non troverà un supermercato. Lì prenda l'autobus numero 23 davanti al supermercato. Scenda dopo 6 fermate e vedrà il metrò. Prenda la Piccadilly Line per 2 fermate in direzione Victoria. A Victoria prenda il treno per Black Street. Scenda a Black Street, poi chieda».

on the move: at the train station

Quando c'è un movimento è importantissimo usare la preposizione di moto corretta per indicarlo.
Non si può dire: I go school!... ma si deve dire: I go to school! (vado a scuola). Quando si tornerà da scuola, si dirà: I come from school!

TO
È la preposizione da usare per esprimere il moto a luogo, anche se bisogna fare molta attenzione al verbo to arrive che, pur essendo di moto a luogo, vuole la preposizione AT.

I go to the bank by car.
Ma I **arrived at** school.

FROM
È la preposizione da usare per esprimere il moto da luogo.

I come back from school at 12.
Torno da scuola alle 12.

INTO
È la preposizione da usare per esprimere un movimento da fuori a dentro.

I went into the hotel.
Sono andato dentro l'albergo (da fuori a dentro).

ONTO
Ha la stessa funzione di into, ma in questo caso il movimento che si esprime è verso sopra (ON).

I jump onto the train.
Salto sul treno.

THE ADVENTURES OF MARIO AND OLIVIA

Mario arriva finalmente alla stazione dei treni, a Victoria, e si rivolge al "tipo della stazione" (TDS).

M: «*A first class ticket for the next train to Black Street, please.*» «Un biglietto di prima classe per il prossimo treno per Black Street, per favore.»

M: «*How much is a first class ticket to Black Street, please?*» «Quanto costa un biglietto di prima classe per Black Street, per favore?»

TDS: «*Thirty pounds, Sir.*» «Trenta sterline, signore.»

TDS: «*There are no seats available in first class, only second class, sorry.*» «Non ci sono posti disponibili in prima classe, solo in seconda classe, mi dispiace.»

M: «*Ok, second class.*» «Ok, seconda classe.»

TDS: «*Single?*»

M: «*No, I'm married.*» «No, sono sposato.»

TDS: «*Single! I mean one way! Or return?*» «Solo andata! Intendo solo andata! O andata e ritorno?»

M: «*Ah, sorry, yes a single, please.*» «Ah mi scusi, sì, solo andata, per favore.»

TDS: «*Here we are* (gli dà il biglietto) *that'll be 20 pounds, please. The train is leaving in twenty five minutes from platform 2.*» «Eccoci, sono 20 sterline, per favore, il treno partirà tra 25 minuti dal binario 2.»

M: «*Where is the waiting room, please?*» «Dov'è la sala d'attesa, per favore?»

TDS: «*At the end of the station on the left.*» «Alla fine della stazione sulla sinistra.»

Sul treno passa il controllore (CT).

CT: «*Tickets, please!*» «Biglietti, per favore.»

Mario mostra il suo biglietto.

Il viaggio prosegue tranquillamente.

Arrivato al ristorante, Mario vede che non c'è più la borsa di Olivia ed è costretto ad andare alla polizia.

the police station

Non sempre le cose vanno per il verso giusto, ma diciamo che la cena con moglie sull'orlo di una crisi di nervi, la corsa in ambulanza all'ospedale, e poi, nella stessa sera, anche il furto della borsa e la nuova corsa verso la stazione di polizia sono davvero troppo. Anche per una persona paziente come Mario.

THE ADVENTURES OF MARIO AND OLIVIA

Mario attraversa nuovamente la città e, arrivato alla stazione di polizia, cerca un poliziotto, *policeman* (PM) per spiegargli tutta la situazione.

PM: «*Good evening, Sir, how can I help you?*» «Buona sera, signore, come posso aiutarla?»

M: «*My wife's bag has gone missing.*» «La borsa di mia moglie è sparita.»

PM: «*Please, explain.*» «Per favore, si spieghi.»

M: «*I was eating in a restaurant when my wife suddenly didn't feel well.*» «Stavo mangiando in un ristorante quando mia moglie improvvisamente si è sentita male.»

PM: «*When was the last time you saw the bag?*» «Quando è stata l'ultima volta che ha visto la borsa?»

M: «*In the restaurant.*» «Al ristorante.»

PM: «*Could I have the address of the restaurant, please?*» «Potrei avere l'indirizzo del ristorante, per favore?»

M: «*Yes, it's…*»

Mario dà l'indirizzo al poliziotto, che gli consegna un modulo da compilare: è simile a quello dell'aeroporto (nome, indirizzo, recapiti…).

PM: «*Ok, we'll contact you if we find it. Please, fill out this form.*» «Ok, la contatteremo se la troviamo. Per favore, compili questo modulo.»

Il giorno dopo Mario va a prendere Olivia: il suo era un semplice caso di cibus-inglesite.

O: «C'era tutto in quella borsa: soldi, documenti, cellulare, e le foto del nostro matrimonio. Persi per sempre.»

M: «Che tragedia! Le nostre foto… Ho deciso di affittare una macchina.»

O: «Ma sei pazzo? Non hai visto che guidano dalla parte sbagliata della strada?»

Olivia protesta animatamente.

M: «Ma sì, dopo 5 minuti ci si abitua.»

car hire

Vediamo alcune domande che è bene tenere a mente quando si noleggia una macchina:

How do the headlights work?
Come funzionano le luci?

How do I turn on full beam?
Come si accendono gli abbaglianti?

How do I start up the engine?
Come si accende il motore?

How do I lock the doors?
Come si chiudono a chiave le porte?

How do I open the boot?
Come si apre il baule?

Where is the ignition?
Dov'è l'accensione?

What kind of fuel does it run on? (petrol/ diesel/ gas)
Che tipo di carburante usa?

Is there a sat-nav?
C'è un navigatore satellitare?

Where is the horn?
Dov'è il **clacson***?

* tanti autonoleggi tolgono il clacson quando vedono che siete italiani: se vi succede qualcosa, è meglio che urliate!

Come le cose, anche le macchine molto spesso si rompono:

The ... doesn't work.	Il ... non funziona.
The ... is broken.	Il ... è rotto.
The ... doesn't come on.	Il ... non si accende.

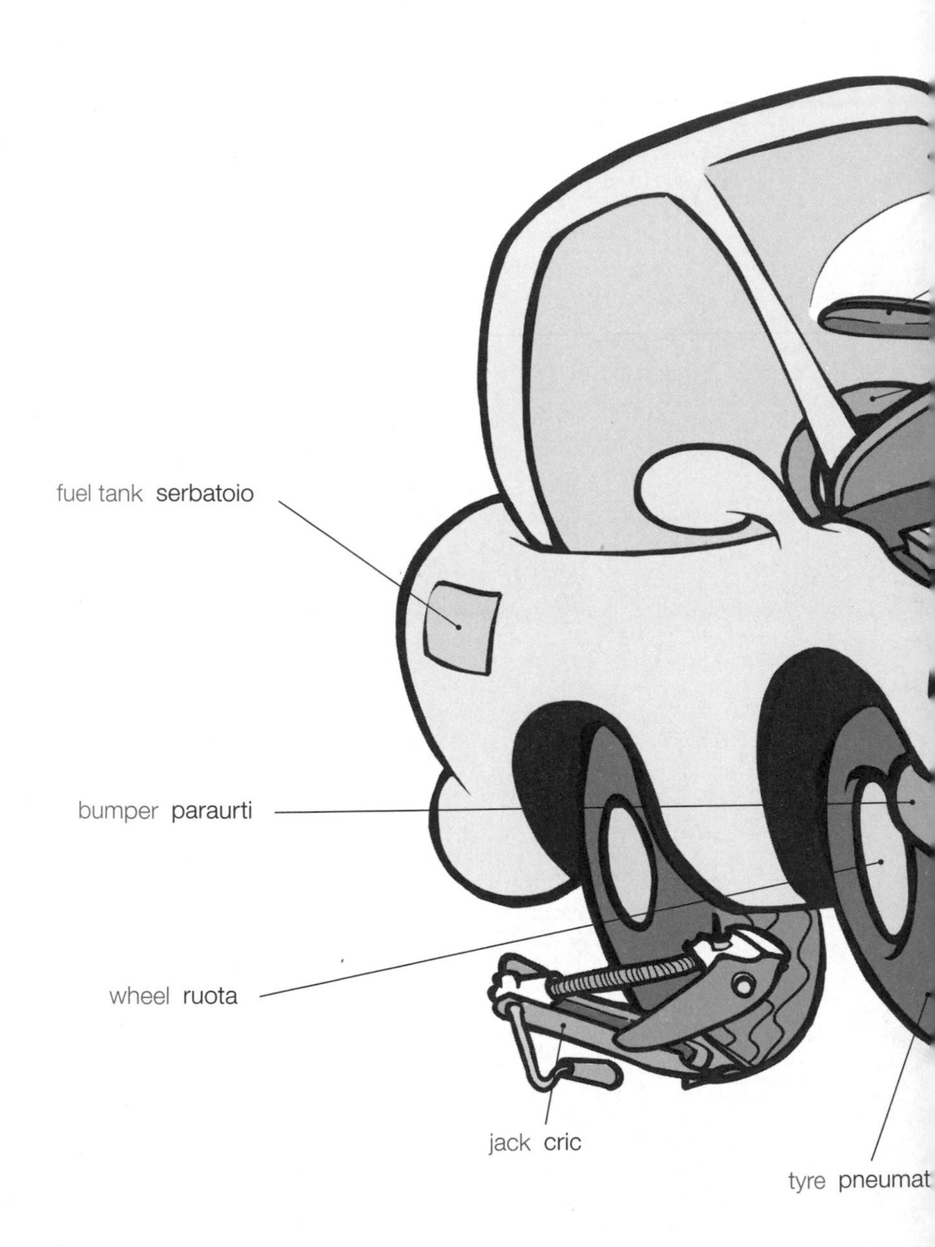
fuel tank serbatoio
bumper paraurti
wheel ruota
jack cric
tyre pneumat

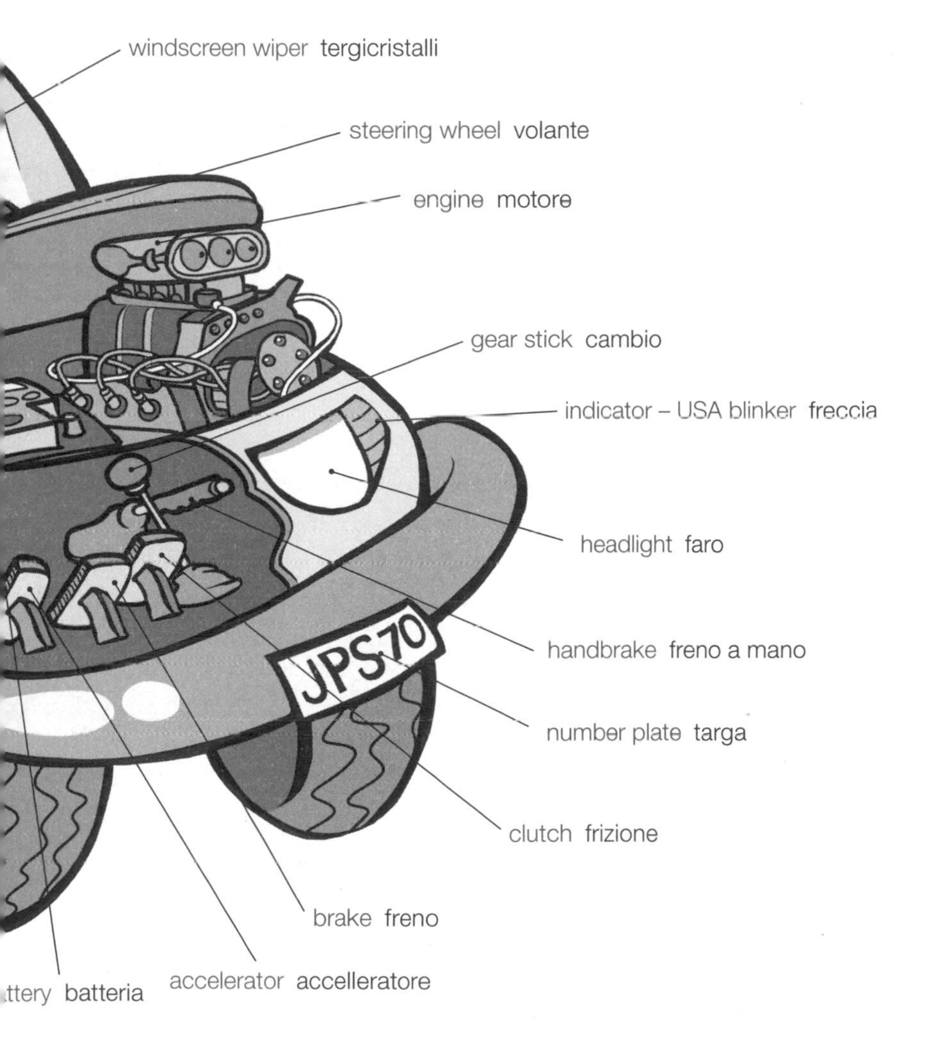
windscreen **parabrezza**
windscreen wiper **tergicristalli**
steering wheel **volante**
engine **motore**
gear stick **cambio**
indicator – USA blinker **freccia**
headlight **faro**
handbrake **freno a mano**
number plate **targa**
clutch **frizione**
brake **freno**
accelerator **accelleratore**
ttery **batteria**
JPS 70

THE ADVENTURES OF MARIO AND OLIVIA

Mario e Oliva si recano in un autonoleggio e si rivolgono al "tipo dietro il banco" (TDB).

M: «*Hello, we would like to hire a small car, please.*» «Salve, vorremmo noleggiare una macchina piccola, per favore.»

TDB: «*Ok, for how long?*» «Ok, per quanto?»

M: «*Just a day, thank you.*» «Solo un giorno, grazie.»

TDB: «*Two or five seats?*» «2 o 5 posti?»

M: «*Just two, please.*» «Solo 2, grazie.»

TDB: «*Automatic or manual?*»
(se devo tradurre anche questo lasciate perdere, davvero!)

M: «*Manual, please.*»
(leggi sopra)

TDB: «*I think we have one available for you. Let me check.*» «Penso di averne una disponibile, mi lasci controllare.»

M: «*How much is it per day?*» «Quanto costa per un giorno?»

TDB: «*25 pounds a day.*»

M: «*Is the insurance included?*» «È compresa l'assicurazione?»

TDB: «*Yes, of course... and yes, we have one for you!*» «Sì certo... e sì, ne abbiamo una disponibile per voi!»

M: «*Wonderful, do you accept VISA?*» «Fantastico, accettate la VISA?»

TDB: «*No, sorry, cash only.*» «No, mi dispiace, solo contanti.»

M: «*Oh, then we must find a cash point and withdraw...*» «Oh, allora dobbiamo trovare un bancomat e prelevare...»

TDB: «*No problem, there is one at the end of the street!*» «Ok, ce n'è uno in fondo alla strada.»

Pagata la macchina, Mario si mette al volante e Olivia si sistema accanto a lui, a sinistra, ovviamente!

Olivia ancora non si sente bene. Il "tipo dietro il banco" li rincorre urlando loro qualcosa che sembra essere importante.

TDB: «*The petrol tank is full. When you return, please make sure the petrol tank is full. You will have to pay for any difference.*» «Il serbatoio della benzina è pieno. Quando tornate, accertatevi che il serbatoio sia pieno. Dovrete pagare voi qualsiasi differenza.»

M: «*Where are the car papers?*» «Dove sono i documenti della macchina?»

TDB: «*The car papers are in the glove compartment.*» «I documenti della macchina sono nel cruscotto.»

Az

small/ medium/ large	piccolo/ medio/ grande
air conditioning	aria condizionata
sports car	macchina sportiva
a diesel run vehicle	una macchina diesel
a camper for six people	un camper per sei persone
unlimited mileage	chilometraggio illimitato
full tank	serbatoio pieno
to return	restituire
rate	tariffa
insurance	assicurazione
to cover	coprire
abroad	all'estero

ESERCIZIO n. 13

1. Vorrei una macchina piccola a 2 posti. ....

   ....

2. Vorremmo una macchina grande a 5 posti. ....

   ....

3. Vorrei una macchina automatica di misura media. ....

   ....

4. Vorremmo una macchina sportiva con aria condizionata a due posti.

   ....

5. Vorrei un camper per 12 persone. ....

   ....

6. È compreso il chilometraggio illimitato? ....

   ....

7. Qual è la tariffa a miglio? ....

   ....

8. Posso restituire la macchina in un'altra città? ....

....

9. Che tipo di automobili avete? ....

....

10 Devo restituire la macchina con il serbatoio pieno? ....

....

11. Che cosa copre l'assicurazione? ....

....

12. Si può portare la macchina all'estero? ....

....

BEER

ordinare una birra in Inghilterra è come ordinare un caffè in Italia!
Avete diversi tipi di caffè; noi diversi tipi di birra:

lager	birra bionda
bitter	birra rossa
mild	birra nera
shandy	metà birra metà gazzosa

La birra si serve in due misure: a pint *(paint)* or a half (che sarebbe mezza pinta)

I'd like a pint of mild and a half of lager, please.

the accident

repair garage	autofficina
breakdown truck	carro attrezzi
to tow	trainare
to give way	dare la precedenza
driving license	patente
to go through a red light	passare con il rosso
to call the police	chiamare la polizia

ESERCIZIO n. 14

1. Dove posso trovare un'autofficina? ....

   ....
2. Abbiamo bisogno di un carro attrezzi. ....

   ....
3. Siamo rimasti senza benzina. ....

   ....
4. Può trainare la nostra macchina, per favore? ....

   ....
5. Non mi ha dato la precedenza. ....

   ....
6. Posso vedere la sua patente? ....

   ....
7. Vado a chiamare la polizia. ....

   ....

THE ADVENTURES OF MARIO AND OLIVIA

Dopo aver "bevuto una birretta" al pub, Olivia insiste per guidare lei fino all'albergo.

M: «Non puoi guidare dopo quattro pinte di birra. Non sei abituata né a guidare in Inghilterra, a sinistra, né a bere!»

O: «Lascia fare a me. Cosa vuoi che siano un paio di birre… Io lo reggo l'alcol, non sono come te che dopo un sorso di vino vedi doppio! Non l'hai forse detto tu che bastano cinque minuti per abituarsi?»

Mario vorrebbe non aver mai detto quella frase.

O: «E poi, ma… che cos'è quello? Ah!!!»

Poco dopo Olivia e Mario finiscono fuori strada; la loro macchina è girata di 180° rispetto al senso di marcia. Olivia, appena si rende conto della situazione, comincia a strillare.

O: «E questo chi cavolo è? Un aggressore!»

No, è "il tipo dell'incidente" (TDI).

TDI: «*Are you ok?*» «Come state? State bene?»

M: «*Yes, we're fine.*» «Sì, stiamo bene.»

TDI: «*It wasn't my fault. She crashed into me.*» «Non è stata colpa mia. Lei mi è venuta addosso.»

M: «*What is the road assistance number?*» «Qual è il numero del soccorso stradale?»

TDI: «*I think you need a breakdown truck. Smoke is coming out of the engine and your tank is leaking.*» «Penso che abbiate bisogno di un carro attrezzi. Esce del fumo dal motore e il serbatoio perde.»

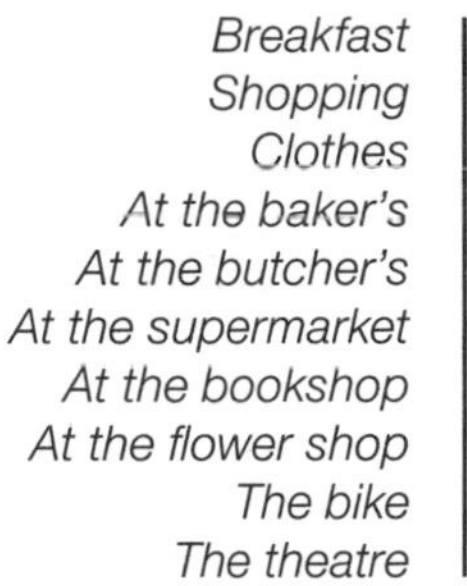

Breakfast
Shopping
Clothes
At the baker's
At the butcher's
At the supermarket
At the bookshop
At the flower shop
The bike
The theatre

Last day in London
Ultimo giorno a Londra

Comparative
Can/Could/Be able to

Olivia ha passato una giornata decisamente impegnativa e ricca di emozioni. Si sveglia, in quest'ultimo giorno a Londra e si sente ancora depressa… senza tutte le sue meravigliose scarpe che sono finite in Sudan, per giunta! Riuscirà Mario a farle tornare il buonumore?

breakfast

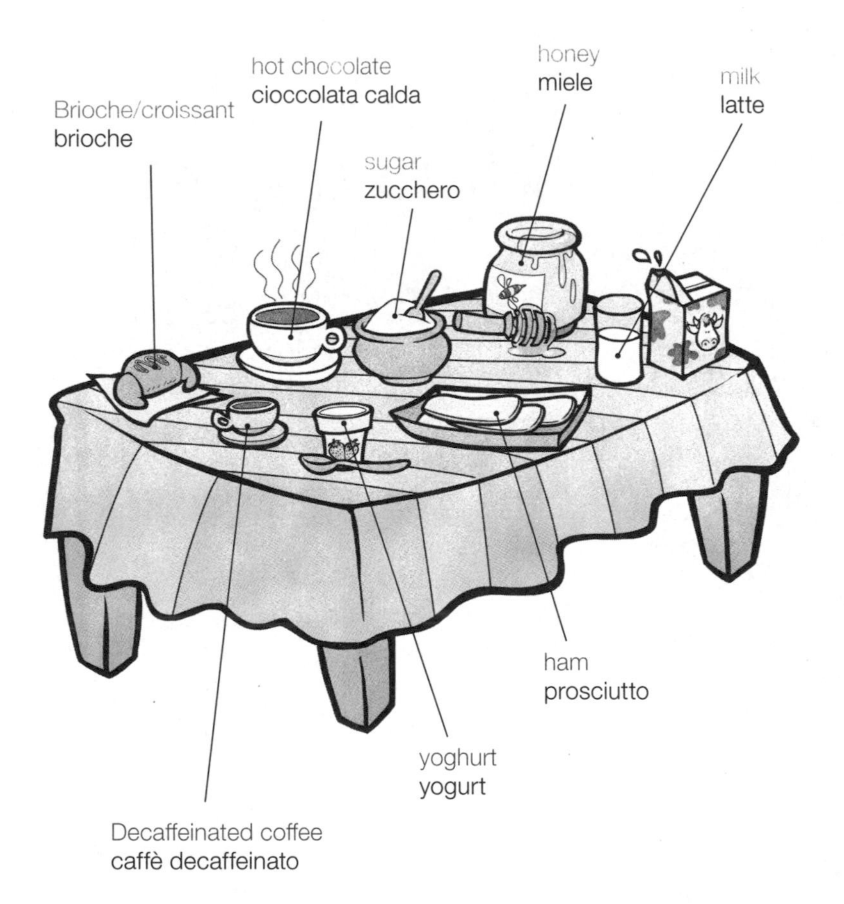
Brioche/croissant
brioche
hot chocolate
cioccolata calda
sugar
zucchero
honey
miele
milk
latte
ham
prosciutto
yoghurt
yogurt
Decaffeinated coffee
caffè decaffeinato

ESERCIZIO n. 15

1. Due brioche, per favore. ....

   ....
2. Posso avere del latte freddo, per favore? ....

   ....
3. Un caffè decaffeinato, per piacere. ....

   ....
4. Niente zucchero, grazie. ....

   ....
5. Un po' di miele? No, grazie. ....

   ....
6. Vorremmo due yogurt alla frutta, grazie. ....

   ....
7. Posso avere un po' di marmellata, per piacere? ....

   ....
8. Posso avere ancora un po' di prosciutto, per favore? ....

   ....
9. Vorrei un tè freddo, grazie. ....

   ....
10. Vorremmo due cioccolate, per piacere. ....

    ....

THE ADVENTURES OF MARIO AND OLIVIA

M: «*We would like to have breakfast.*» «Vorremmo la colazione.»

O: «Non prenderai la tipica colazione inglese! Se mangi uova strapazzate e pancetta di prima mattina, digerisci dopodomani e non ho intenzione di ascoltarti brontolare tutto il giorno.»

M: «Dai, smettila. Qui siamo a Londra, la colazione con caffè e brioche la posso fare anche a casa, ogni giorno.»

Mario prende in mano la situazione e ordina al cameriere, *waiter* (W).

M: «*I would like an English breakfast for me and my wife, please.*» «Vorrei un'English breakfast per me e mia moglie, per favore.»

Qualche minuto più tardi…

O: «Ma che cos'è tutta questa roba… io volevo solo un tè.»

M: «Allora, aspetta che ti spiego. Questa è jam, cioè marmellata di frutta, perché marmelade è solo quella di agrumi.»

O: «Ah, davvero? Sempre così complicati 'sti inglesi! Non potevano usare una sola parola come noi?»

Quindi il cameriere porta anche cereals, cioè cereali, butter, ossia burro, orange juice, spremuta d'arancia, e infine toast, cioè del pane tostato su cui si può spalmare quello che si vuole.

M: «*How would you like your eggs, Madam?*»

O: «Cosa ha detto?»

M: «Come le vuoi le uova?»

O: «Ovali!?»

M: «Come le vuoi cotte, intende dire.»

O: «Come ce le hanno?»

soft boiled	alla coque
hard boiled	sode
fried	fritte
poached	in camicia
scrambled	strapazzate
with bacon	con la pancetta

O: «Guarda, lasciamo perdere… Vorrei un caffelatte: *coffee and milk, please*!»

M: «Si dice milk and coffee.»

O: «Anche questo al contrario?!»

Olivia rimpiange ancora di più la sua cara colazione, e si sente ancor più sconsolata, pensando alla sua brioche con il cappuccino!

shopping

Prima di cominciare, mettiamo subito in chiaro una cosa:
to DO the shopping vuol dire fare la spesa;
to GO shopping è quella terribile noia che piace alle donne.
E per quest'attività all'estero ci sono delle frasi che è necessario conoscere molto bene:

How much is the...? Quanto costa il/la... (singolare)
How much are the...? Quanto costano i/le... (plurale)
Have you anything cheaper? Avete qualcosa di più economico?

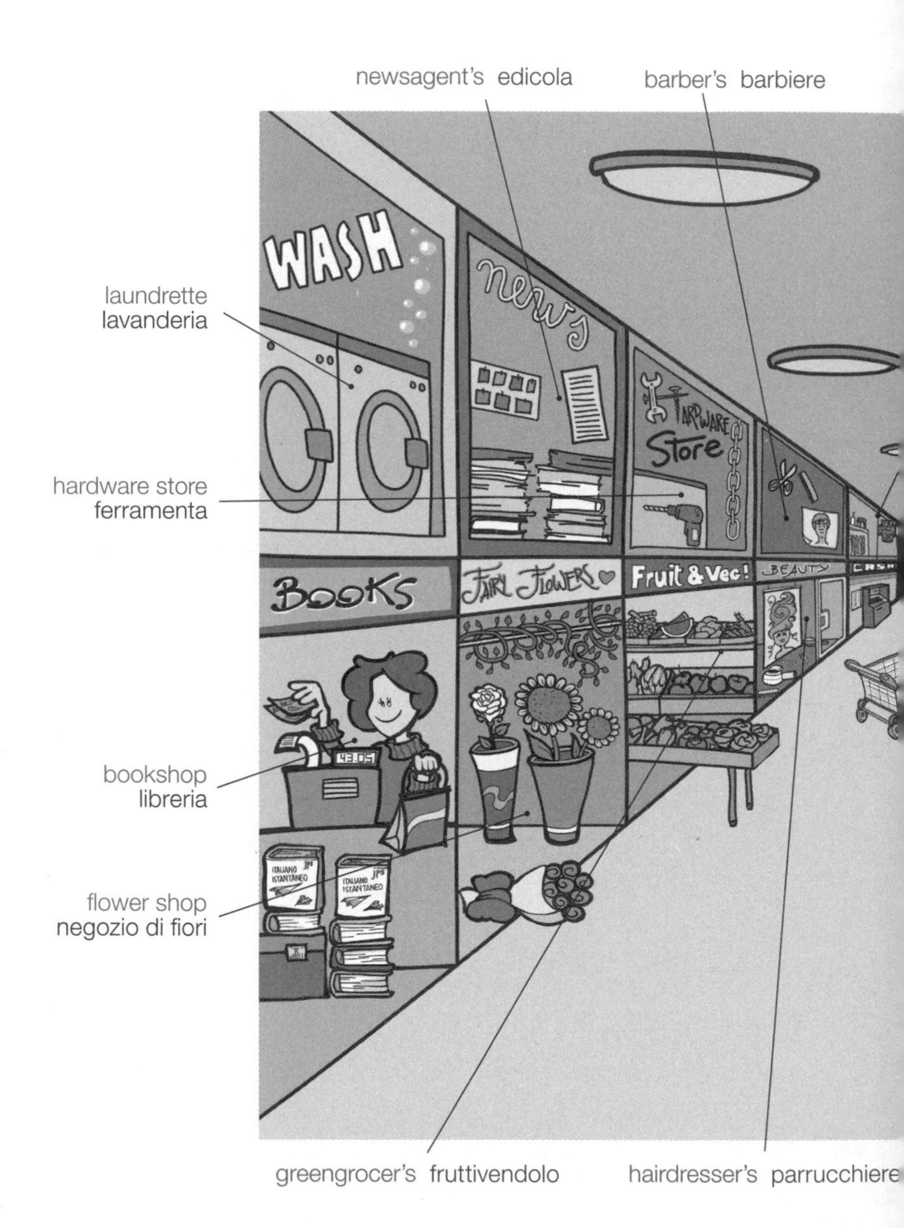
newsagent's edicola
barber's barbiere
laundrette
lavanderia
hardware store
ferramenta
bookshop
libreria
flower shop
negozio di fiori
greengrocer's fruttivendolo
hairdresser's parrucchiere
WASH
news
Store
BOOKS
FAIRY FLOWERS
Fruit & Veg!
BEAUTY

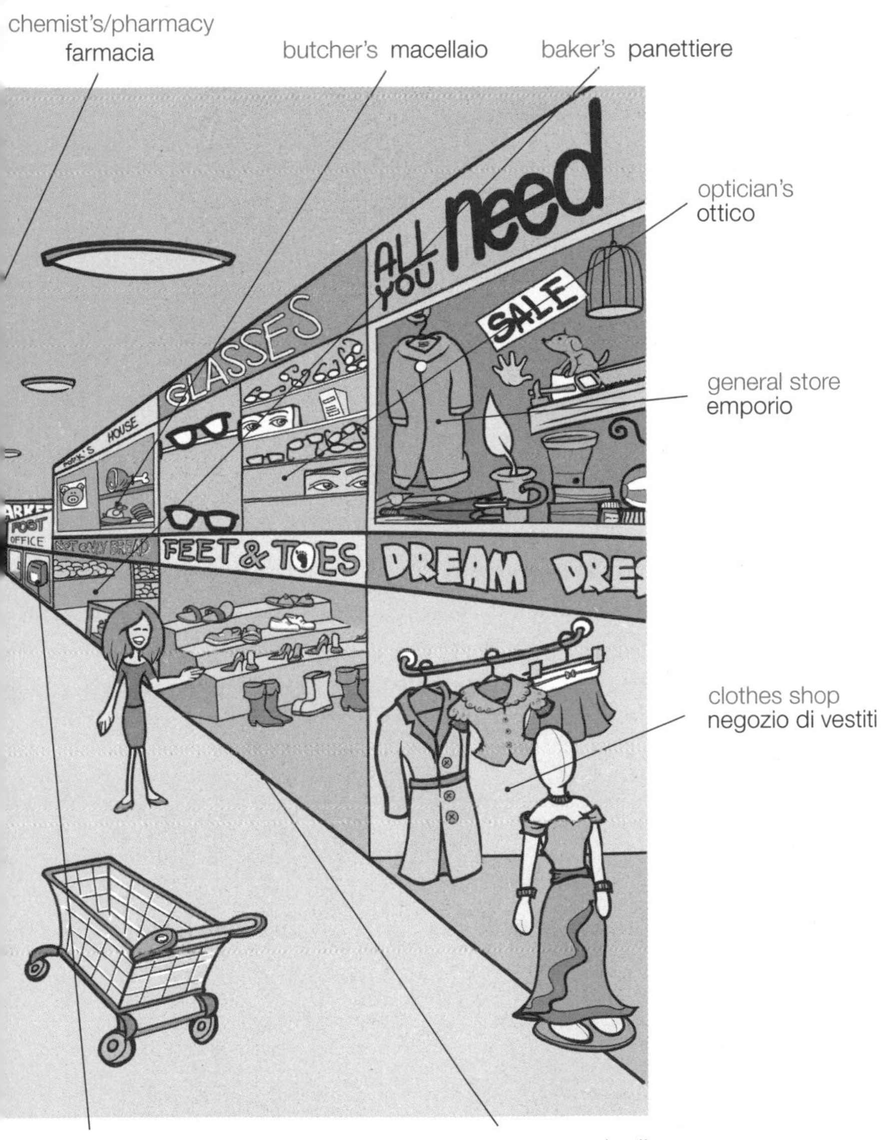
chemist's/pharmacy
farmacia
butcher's macellaio
baker's panettiere
optician's
ottico
general store
emporio
clothes shop
negozio di vestiti
post office ufficio postale/posta
shoe shop negozio di scarpe
ALL YOU need
GLASSES
SALE
HOUSE
POST
OFFICE
FEET & TOES
DREAM

Chemist's/Pharmacy - Farmacia
I buy my medicines in the chemist's.
Compro le mie medicine in farmacia.

Clothes shop - Negozio di vestiti
My wife can walk around in the clothes shop for five hours and she doesn't get tired!
Mia moglie riesce a camminare in un negozio di vestiti per cinque ore e non si stanca!

Laundrette - Lavanderia
When my wife is angry, I must wash my clothes in the local laundrette.
Quando mia moglie è arrabbiata, devo lavare i miei vestiti alla lavanderia di zona.

Newsagent's - Edicola
I buy my newspapers and sweets at the local newsagent's.
Compro i giornali e le caramelle all'edicola di zona.

Hairdresser's - Parrucchiere
My Mom goes to the hairdresser's every Saturday afternoon, so she looks nice in the evening.
Mia madre va dal parrucchiere ogni sabato pomeriggio, così è bella la sera.

Greengrocer's - Fruttivendolo
I get my greens from the greengrocer's, they don't cost much there.
Prendo le verdure e l'insalata dal fruttivendolo, non costano molto lì.

Post office - Ufficio postale/Posta
There are always many people waiting to send letters in the post office.
Ci sono sempre molte persone che aspettano di spedire le lettere alla posta.

Barber's - Barbiere
I go to the barber's to talk about football and to have my hair cut.
Vado dal barbiere per parlare di calcio e farmi tagliare i capelli.

Bookshop - Libreria
I bought a book in the bookshop about how to have a nice garden with minimum effort.
Ho comprato un libro in libreria che tratta di come avere un bel giardino con il minimo sforzo.

Hardware store - Ferramenta
I need to go to the hardware store to buy a drill.
Ho bisogno di andare in ferramenta per comprare un trapano.

General store - Emporio
This place has practically everything!
Questo posto ha praticamente tutto!

Shoe shop - Negozio di scarpe
I have nothing to say about this terrible place!
Non ho nulla da dire su questo terribile posto!

Sports shop - Negozio di attrezzatura sportiva
I buy my trainers here.
Compro qui le mie scarpe da tennis.

Butcher's - Macellaio
My wife likes to go to this shop because she imagines that it's me hanging from the ceiling.
A mia moglie piace andare in questo negozio perché si immagina che sia io a penzolare dal soffitto.

Baker's - Panettiere
I love the smell of fresh bread in this shop!
Amo il profumo del pane fresco in questo negozio.

Off license - Negozio di alcolici
In this shop you can buy beer all day!
In questo negozio puoi comprare birra tutto il giorno.

THE ADVENTURES OF MARIO AND OLIVIA

Ci mancava solo la colazione, dopo tutto ciò ora sì che Olivia è davvero molto depressa, quindi Mario decide di darle la miglior medicina che si possa dare a una donna: un bel pomeriggio di shopping al centro commerciale!

M: «Io devo andare alla mia convention, ti lascio qui e torno tra qualche ora, ok?»

Olivia è già scomparsa. La prima cosa che decide di comprare è una nuova borsa. Per questo, entra in un negozio di borse e si fa consigliare da una commessa, *shop assistant* (SA).

O: «*Have you got an elegant bag?*» «Avete una borsa elegante?»

SA: «*Yes, certainly, large or small?*» «Sì, certo, grande o piccola?»

O: «*Medium.*»

SA: «*Colour?*»

O: «*Black or brown.*»

SA: «*This?*»

O: «*How much is it?*» «Quanto costa?»

SA: «*150 pounds.*»

O: «*No, it is too expensive, have you got something cheaper?*» «No, è troppo costosa, avete qualcosa di più economico?»

SA: «*We have a red bag on offer for only 100 pounds...*» «Abbiamo una borsa rossa in offerta per solo 100 sterline...»

Dopo aver visionato almeno altre 275 borse, Olivia sceglie... un portachiavi!

comparative

In una frase comparativa si mettono in relazione due cose o persone (che sono per questo detti termini di paragone) attraverso un aggettivo.

David is fatter than John.
David è più grasso di John.

John is not as fat than David.
John è meno grasso di David.

John isn't as fat as David.
John non è così grasso come David.

David e John sono i due termini di paragone; "grasso" è l'aggettivo che li mette in relazione.

Il comparativo ha tre forme:

1. DI MAGGIORANZA (PIÙ)

Per formare il comparativo di maggioranza degli aggettivi si deve seguire lo schema seguente:

AGGETTIVO + ***-ER*** (AGGETTIVI MONOSILLABI)

Casi particolari:
- Gli aggettivi che terminano per -E aggiungono solo la –R
nic**e**/nic**er** (carino/più carino)
- Gli aggettivi che terminano con una consonante preceduta da una vocale, raddoppiano la consonante e aggiungono -ER
ho**t**/ho**tter** (caldo/più caldo)
- Gli aggettivi monosillabi o bisillabi che terminano per -Y cambiano la Y in I e aggiungono -ER
ugl**y**/ug**lier** (brutto/più brutto)

MORE + **AGGETTIVO*** (AGGETTIVI CON PIÙ DI 2 SILLABE)

Gli aggettivi bisillabici possono avere sia la forma -ER che essere preceduti da MORE:
si usa la forma -ER se si vuole dare maggiore importanza all'aggettivo, mentre, al contrario,
si usa la forma con MORE se si vuole invece dare più importanza alla parola **more**.

Il secondo termine di paragone, invece, è sempre introdotto da THAN.

David is fatter **than** John. David è più grasso di John.

* Quando il secondo termine di paragone è un pronome personale, si utilizza il pronome personale complemento, non il soggetto (He is as tall as ME, YOU, HIM, HER). Il comparativo di maggioranza può essere preceduto da uno di questi avverbi per modularne l'intensità:
much/a lot/far + comparativo significano «molto più»
a little/a bit/a little more + comparativo significano «poco più»
comparativo + **and** + **comparativo** significa «sempre più».

2. DI MINORANZA (MENO)

Per formare il comparativo di minoranza degli aggettivi si deve seguire lo schema seguente:

LESS + **AGGETTIVO** + ***THAN***

Il secondo termine di paragone, invece, è sempre introdotto da **THAN**. Più usata è la forma not as + aggettivo + as....

John is **less fat than** David.
John è meno grasso di David.

John is **not as fat than** David.
John è meno grasso di David.

Come quello di maggioranza, anche il comparativo di minoranza può essere preceduto da un avverbio per modularne l'intensità.

3. DI UGUAGLIANZA (TANTO... QUANTO...)

Per formare il comparativo di uguaglianza degli aggettivi si deve seguire lo schema seguente:

AS + **AGGETTIVO** + ***AS****

John is **as tall as** David.
John è alto quanto David.

John is not **as fat as** David.
John non è grasso quanto David.

* Quando il secondo termine di paragone è un pronome personale, si utilizza il pronome personale complemento, non il soggetto (He is as tall as ME, YOU, HIM, HER).

bank account	conto in banca
cashier	cassiera
till	cassa
wallet	portafoglio da uomo
purse	portafoglio da donna
trolley	carrello
changing room	camerino
money (sempre singolare!)	soldi
check	assegno
cash	contanti
coin	moneta
to withdraw	prelevare
to pay	pagare

clothes

Quando un italiano dice “indosso una camicia” un inglese, invece, dice I am wearing a shirt. In questo contesto il verbo **to wear** è usato in forma progressiva, anche se in realtà non sta succedendo niente; non si tratta di un’azione che si svolge mentre si parla.

to put on	put on-put on-put on	mettere/indossare
to take off	take off-took off-taken off	togliere
to wear	wear-wore-worn	portare indosso
to get dressed	get dressed-got dressed-got dressed	vestirsi
to get undressed	get undressed-got undressed got undressed	spogliarsi
to try on	try on-tried on-tried on	provare un vestito
to decide	decide-decided-decided	decidere

1. Jane is wearing a red hat. Jane indossa un cappello rosso.
2. He wore black trousers at the wedding. Lui indossava pantaloni neri al matrimonio.
3. I will wear my best shirt for the party. Indosserò la mia migliore camicia alla festa.
4. John is putting on his shoes. John si sta mettendo le scarpe.
5. It was cold, so we put on our coats. Faceva freddo, così ci siamo messi il cappotto.
6. They will put on their hats after the funeral. Si metteranno il cappello dopo il funerale.
7. Take off your tie! You're not in the office! Togliti la cravatta! Non sei in ufficio!
8. Did she take off her bra on the beach? Si è tolta il reggiseno sulla spiaggia?
9. I will take off my shoes in the new house. Mi toglierò le scarpe nella nuova casa.
10. I will be there in ten minutes. I am still getting dressed. Sarò lì fra dieci minuti. Mi sto ancora vestendo.
11. I got dressed in five minutes, she got dressed in thirty five minutes! Mi sono vestito in cinque minuti, lei si è vestita in trentacinque minuti!
12. Will you get dressed to answer the door, please?! Ti vesti per rispondere alla porta?!
13. She tried on every pair of trousers in the shop! Ha provato tutti i pantaloni del negozio!
14. I am trying on a new coat! Sto provando un nuovo cappotto.
15. Will you try on this new shirt I bought for you? It might be too long. Provi questa nuova camicia che ti ho comprato? Potrebbe essere troppo lunga.

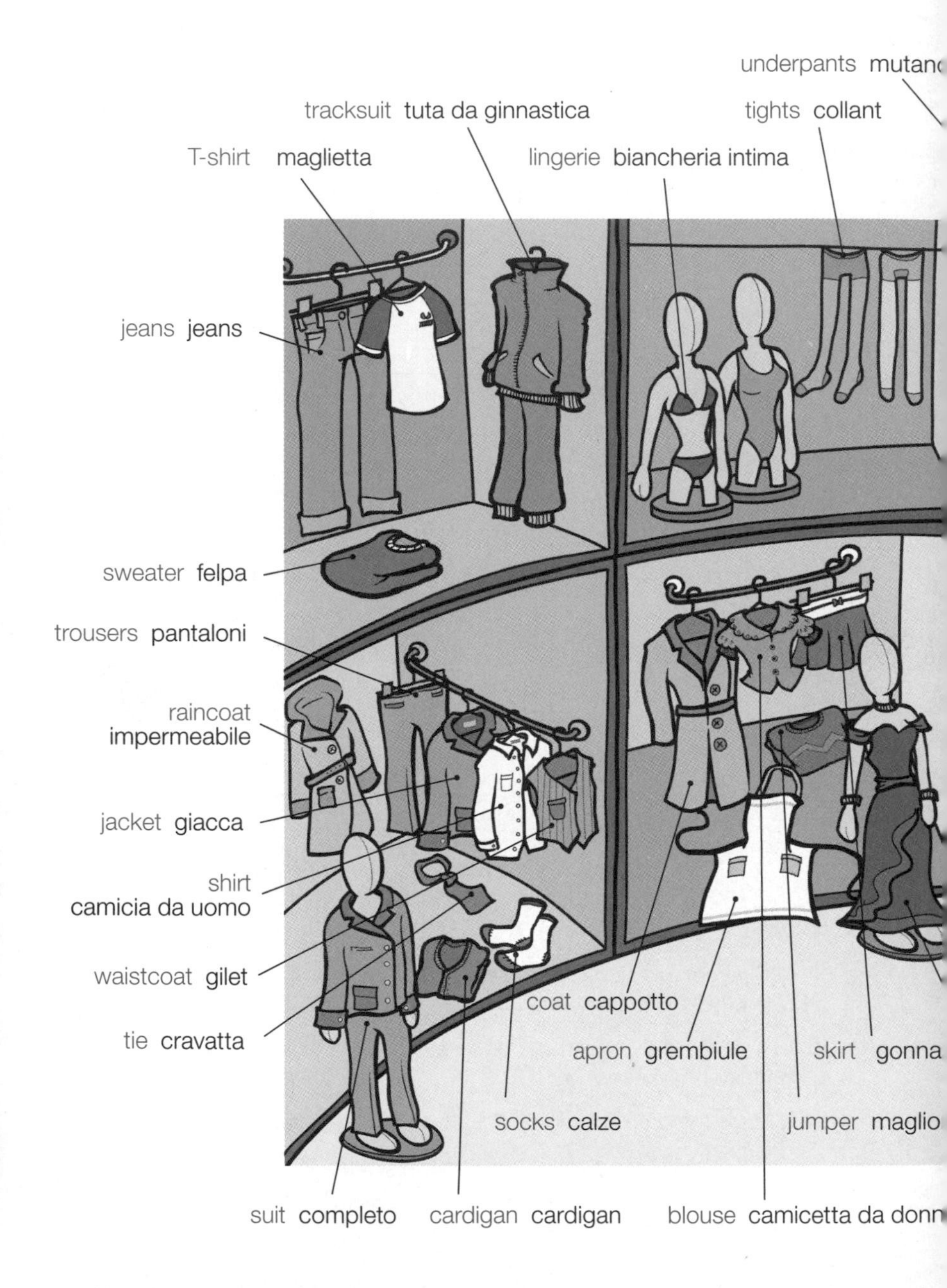
underpants mutan
tracksuit tuta da ginnastica
tights collant
T-shirt maglietta
lingerie biancheria intima
jeans jeans
sweater felpa
trousers pantaloni
raincoat impermeabile
jacket giacca
shirt camicia da uomo
waistcoat gilet
tie cravatta
coat cappotto
apron grembiule
skirt gonna
socks calze
jumper maglio
suit completo
cardigan cardigan
blouse camicetta da donn

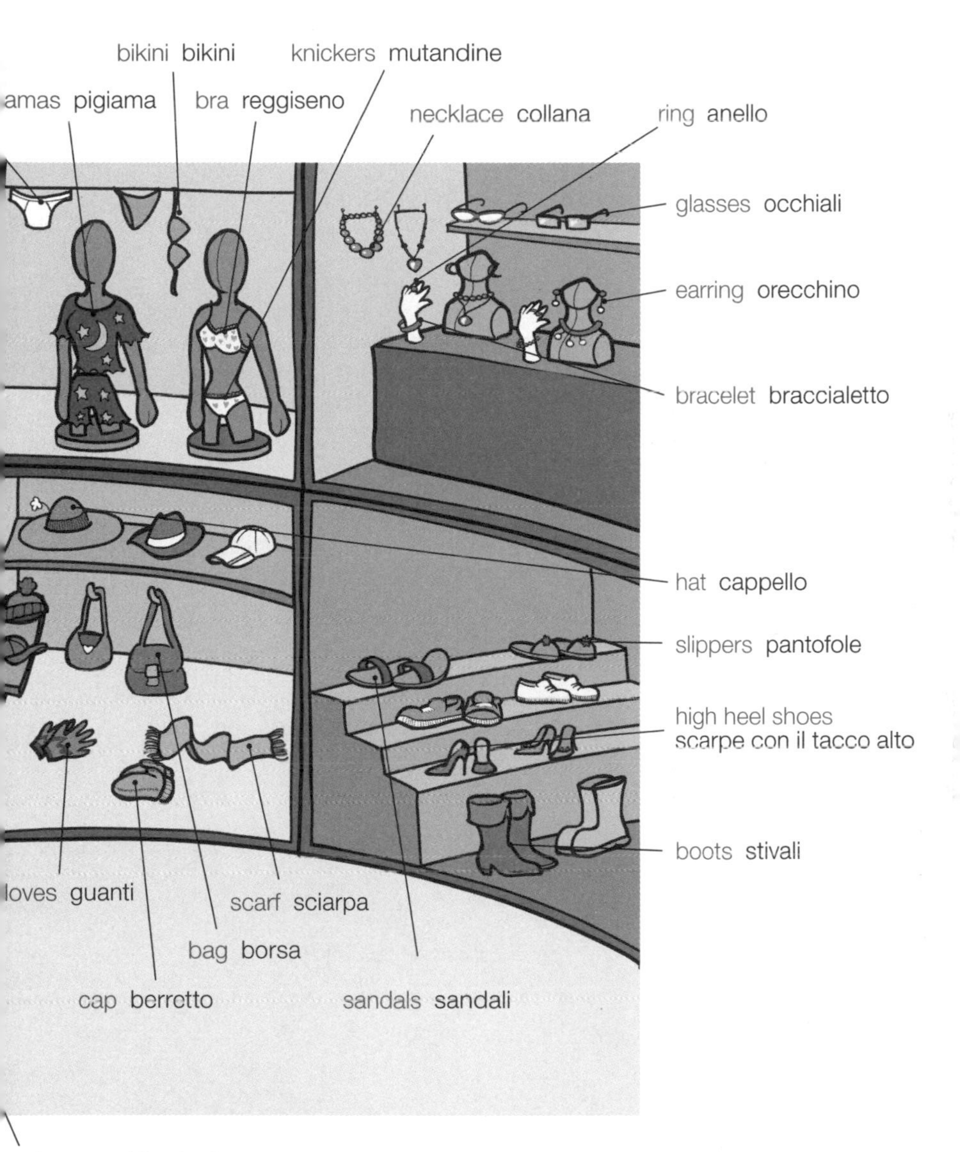
bikini bikini
knickers mutandine
amas pigiama
bra reggiseno
necklace collana
ring anello
glasses occhiali
earring orecchino
bracelet braccialetto
hat cappello
slippers pantofole
high heel shoes
scarpe con il tacco alto
boots stivali
loves guanti
scarf sciarpa
bag borsa
cap berretto
sandals sandali
dress vestito da donna

Az

opening times	orari di apertura
to have a look	dare un'occhiata
window	vetrina
to give a discount	fare uno sconto
size	taglia
tight	stretto
big	largo/grande
close-fitting	aderente
ample	abbondante
long	lungo
short	corto
smaller	più piccolo
bigger	più grande
model	modello
light	chiaro/leggero
dark	scuro
heavy	pesante
to match	abbinarsi
brand	marca

ESERCIZIO n. 16

1. Scusi, quali sono gli orari di apertura? ....

   ....

2. Dove posso trovare il negozio di scarpe più vicino? ....

   ....

3. Ha bisogno di aiuto? ....

4. Vorrei dare un'occhiata. ....

5. Vorrei vedere quella gonna in vetrina, per favore. ....

   ....

6. Ce l'ha in qualche altro colore? ....

....

7. Mi stanno già servendo, grazie. ....

....

8. Vorrei spendere di meno. ....

9. Mi può fare uno sconto? ....

10. Prendo questo. Lo posso cambiare se c'è qualche problema? ....

....

11. Che taglia porta, signora? ....

....

12. Vuole provare questo? ....

....

13. Dov'è il camerino? ....

14. Questa gonna è un po' troppo stretta. ....

....

15. Che colore preferisce? ....

....

16. Avete dei pantaloni dello stesso colore? ....

....

17. Ha altri modelli? ....

....

18. Ha qualcosa di più chiaro? ....

....

19. Sto cercando una camicetta di seta. ....

....

20. Vorrei un colore che si abbini a questa giacca. ....

....

THE ADVENTURES OF MARIO AND OLIVIA

Quando Mario raggiunge Olivia, la trova in un completo stato d'estasi…

O: «Meno male, volevo comprarti un paio di scarpe ma non sapevo come spiegarmi! Ora ci sei tu, che puoi parlare direttamente con il commesso, *shop assistant* (SA) e dire che ti piacciono quelle scarpe bianche e nere in vetrina (???).»

M: «*Hello, can I see those shoes in the window, please?*» «Salve, posso vedere quelle scarpe in vetrina, per favore?»

SA: «*Which pair, Sir?*» «Quali, signore?»

M: «*The black and white pair, please.*» «Quel paio bianco e nero, per favore.»

Mario spera di aver indovinato il paio di scarpe che le piacciono così tanto...

SA: «*What size?*» «Quale misura?»

M: «*I am Italian size 44.*» «Porto il numero 44 italiano.»

SA: «*Just a second, please.*» «Un attimo, per favore.»

Mario prova le scarpe… che Olivia ha scelto per lui!

SA: «*How do they fit?*» «Come vanno?»

M: «*They are a bit small: have you the same pair, but one size up?*» «Sono un po' strette: avete un paio dello stesso modello, ma di una misura in più?»

SA: «*No, I'm sorry.*» «No, mi dispiace.»

at the baker's

loaf (plurale: loaves)	pagnotta
roll	michetta
wholemeal	integrale
white bread	pane bianco
brown bread	pane nero
fresh	fresco
sandwich	panino imbottito
diabetic and dietetical products	prodotti dietetici e per diabetici
to run out of	finire/terminare

ESERCIZIO n. 17

1. Avete del pane integrale? ....
....
2. Dieci michette, per favore. ....
....
3. Dove sono i prodotti per diabetici? ....
....
4. Posso avere quattro panini imbottiti al prosciutto, per favore? ....
....
....
5. Mi spiace, non ne abbiamo oggi. ....
....
6. Abbiamo finito il pane nero. ....
....

7. Compro sempre prodotti dietetici per mio padre. ....
   ....
8. C'è un panificio qui vicino? ....
   ....
9. Dove sono le michette? ....
   ....
10. Non vendiamo hamburger, mi dispiace. ....
    ....

THE ADVENTURES OF MARIO AND OLIVIA

Lo shopping, anche se non si riesce a comprare niente, fa proprio venire fame! E così Mario e Olivia si muovono in cerca di cibo... ed entrano in una splendida panetteria, dove li serve un vecchio panettiere, *baker* (B).

B: «*Good morning, Sir. Can I help you?*» «Buon giorno signore, la posso aiutare?»

M: «*Good morning, have you got a fresh loaf?*» «Buon giorno, avete una pagnotta fresca?»

B: «*Yes, Sir. Here you are. Anything else?*» «Si, signore. Eccola. Desidera altro?»

M: «*Do you do* *sandwiches*, *please?*» «Fate panini imbottiti, per favore?»

B: «*No, Sir. But we have some rolls and there is a butcher's next to our shop.*» «No, ma abbiamo delle michette e c'è un macellaio accanto al nostro negozio.»

M: «*Ok. Six rolls then, please. How much is that?*» «Ok, sei michette allora, per favore. Quant'è?»

B: «*That's £4.75. Pay at the till.*» «Sono 4,75 sterline. Paghi alla cassa.»

M: «*Oh, do you sell diabetic and dietetical products?*» «Ah, vendete prodotti dietetici e per diabetici?»

B: «*Overthere.*» «Laggiù.»

M: «*Thanks.*» «Grazie.»

at the butcher's

ham	prosciutto
salami	salame
bacon	pancetta
thin/thick rasher	fetta sottile/spessa
lamb chops	costolette di agnello
sausage	salsiccia
chicken	pollo
pork	maiale
turkey	tacchino
veal	vitello
beef	manzo
rabbit	coniglio
beef steak	bistecca
grilled	alla griglia
stew	spezzatino
liver	fegato
meatballs	polpettine
mixed grill	grigliata mista
tripe	trippa
fillet steak	filetto
sandwich	panino imbottito

ESERCIZIO n. 18

1. Posso avere 3 libbre di pancetta? ....

    ....

2. Vorrei cinque bistecche. ....

    ....

3. Non vendiamo polli alla griglia. ....

    ....

4. Questo vitello è fresco? ....

    ....

5. Non mi piace la salsiccia. ....

    ....

6. Che tipo di carne posso usare per lo spezzatino? ....

    ....

7. La mia preferita è il fegato. ....

    ....

8. Per favore, compra un chilo di polpettine per stasera. ....

    ....

9. Ho bisogno di due chili di carne per una grigliata mista. ....

    ....

10. Preferisci mangiare un filetto o della trippa? ....

    ....

THE ADVENTURES OF MARIO AND OLIVIA

Mario non se lo fa dire due volte, esce dalla panetteria e imbocca immediatamente la porta del negozio a fianco, quello del macellaio, *butcher* (BU).

M: «*Good morning.*» «Buongiorno.»

B: «*Good morning. How can I help you?*» «Buongiorno. Come posso aiutarla?»

M: «*I'd like some ham, please.*» «Vorrei del prosciutto, per favore.»

B: «*Eh... sorry, there's salami, but no ham.*» «Ehm... mi dispiace, abbiamo il salame ma non il prosciutto.»

M: «*Ok, then 2 pounds of salami, please.*» «Ok, allora 2 libbre di salame, per favore.»

B: «*Here you are. Anything else?*» «Ecco qui. Desidera altro?»

M: «*Lamb chops?*» «Costolette di agnello?»

B: «*How many do you want?*» «Quante ne vuole?»

M: «*Four, please.*» «Quattro, per favore.»

B: «*We only have two. Here you are.*» «Ne abbiamo solo due. Eccole.»

M: «*And a grilled chicken, please.*» «E un pollo alla griglia, per favore.»

B: «*We don't sell chicken.*» «Noi non vendiamo pollo.»

M: «*You don't sell chicken? How strange.*» «Come non vendete pollo? Che strano.»

B: «*No, Sir. We have pork, turkey, veal, beef and rabbit, but* **no** *chicken.*» «No, signore.

Abbiamo maiale, tacchino, vitello, manzo e coniglio, ma niente pollo.»

M: «*Ok, give me a pound of turkey, then.*» «Mi dia una libbra di tacchino, allora.»

O: «*They're 50 pounds. Anything else?*» «50 sterline. Desidera altro?»

M: «*No. Can I pay in euro?*» «Posso pagare in euro?»

O: «*I'm sorry, we CAN'T accept euro.*» «No, mi dispiace, non possiamo accettare gli euro.»

M: «*Do you take cheques?*» «Accettate gli assegni?»

O: «*No, Sir, but there is a cash point just outside.*» «No, signore, ma c'è un bancomat qui fuori.»

M: «*Ok, thanks.*» «Ok, grazie.»

NO

Traduce NIENTE e NESSUNO e si usa sia con i nomi singolari che con quelli plurali. Il NO esprime un concettoi sempre e comunque negativo, quindi bisogna fare attenzione a costruire le frasi senza ulteriori negazioni; il verbo dev'essere affermativo.

We have no chicken. Non abbiamo pollo.

---

can/could/be able to

CAN è un verbo fondamentale.

Al passato diventa could.

Al futuro è will be able to.

I can go to the theatre.
Posso andare a teatro.
I cannot/can't go to school.
Non posso andare a scuola.
Can I go to the cinema with my friends?
Posso andare al cinema con i miei amici?
Can't I go to the cinema with my girlfriend?
Non posso andare al cinema con la mia fidanzata?

I CAN ha 3 significati fondamentali:

io **posso** (ho il permesso, ho l'autorità di fare qualcosa)

io **riesco*** (sono in grado di fare una cosa)

io **so** (un'abilità che ho)

* Spesso sento dire I am able to che è una forma non molto usata da noi inglesi.

My wife can't drive my new car.
Non permetto a mia moglie di guidare la MIA macchina nuova!
He couldn't help me with my housework.
Non riusciva ad aiutarmi con le mie faccende domestiche.
I will be able to speak English well after ten months in London.
Saprò parlare bene l'inglese dopo dieci mesi a Londra.

THE ADVENTURES OF MARIO AND OLIVIA

Come sapete, arriva sempre il momento in cui una donna deve rifarsi il trucco, ecco: quel momento è arrivato anche per Olivia.

E Mario ne approfitta.

È talmente emozionato per l'esito della sua convention e per il nuovo fantastico deodorante per scarpe alla vaniglia (argomento che non può assolutamente condividere con sua moglie) che decide di chiamare la mamma in Italia, per raccontarle tutto...

Prima digita lo **0039**,

poi il **2** per Milano,

lo "**0**" del prefisso della città va sempre tolto,

infine il **numero**.

M: «Mamma? Ciaoooo... domani torno in Italia con una cosa geniale, un nuovo deodorante per scarpe alla vaniglia, vedrai, non ti puzzeranno mai più le ciabatte! E stasera, per festeggiare, porto Olivia a teatro! Lei ancora non lo sa. Ti saluto, costa un sacco telefonare dall'estero, la mia tariffa non è buona. Ciao!»

Poi... ehm... ha messo giù!

E il cellulare ha cominciato a fare degli strani rumori, via via più forti. Poi si è definitivamente spento.

at the supermarket

battery charger	caricabatterie
blank/recordable DVD	DVD vergine/registrabile
DVD player	lettore DVD
extension lead	prolunga
LCD display	lettore a cristalli liquidi
mobile phone recharge	ricarica telefonica
mobile/cell phone	cellulare
multiple socket	presa multipla
palmtop	palmare
receipt	ricevuta
special offer	offerta speciale
to gift wrap	fare un pacchetto regalo
to repair	riparare
transformer	trasformatore
under guarantee	in garanzia
video game	video gioco
to be worth repairing	valer la pena far riparare

ESERCIZIO n. 19

1. Dove posso trovare un caricabatterie? ....

....

2. Peter ha bisogno di una presa multipla. ....

....

3. Quanto dura la garanzia di questo palmare? ....

....

4. Ho comprato tre video giochi per mio figlio. ....

....

5. Può riparare questo lettore DVD? ....

....

6. Il mio cellulare non funziona più. ....

....

7. Quanto costano i DVD vergini? ....

....

8. Vorrei una ricarica telefonica da 100 euro. ....

....

9. Non vale la pena di riparare il tuo computer. ....

....

10. Non mi piace questo lettore a cristalli liquidi. ....

....

THE ADVENTURES OF MARIO AND OLIVIA

Quando Olivia torna e capisce che il cellulare di Mario non funziona più (il suo era nella borsa che le hanno rubato!) prende per un braccio il marito e lo costringe a una istantanea capatina in un centro commerciale, al reparto di videofonia ed elettronica, per chiedere l'aiuto del "tipo del reparto" (TDR) e riparare il cellulare. Per Olivia non è assolutamente possibile stare, nemmeno per poche ore, lontano da casa senza un telefono a portata di mano.

M: «*Hello. My mobile does not work. Can you repair it?*» «Salve, il mio cellulare non funziona. Lo potete riparare?»

TDR: «*Yes, but it will take a week. Is it under guarantee?*» «Sì, ma ci vorrà una settimana. È in garanzia?»

M: «*No, it isn't. And that's too long.*» «No, non lo è. E ci vuole troppo tempo.»

TDR: «*We have these on offer, for only 270 pounds.*» «Abbiamo questi in offerta per solo 270 sterline.»

Il commesso mostra a Mario e Olivia alcuni modelli di cellulare.

M: «*That's too much. I'd like to spend less. What do you recommend?*» «È troppo. Vorrei spendere di meno. Cosa mi consiglia?»

TDR: «*Well, this model with camera is popular.*» «Questo modello con macchina fotografica è popolare.»

M: «*How long is the guarantee for?*» « Quanto dura la garanzia?»

TDR: «*Two years.*» «Due anni.»

M: «*Ok, I'll take it!*» «Ok, lo prendo!»

TDR: «*Is that everything?*» « È tutto?»

M: «*Ok, thank you Sir., bye!*» «Ok, grazie Sig., arrivederci!»

WITH(OUT)

WITH (uith*) significa «con».
WITHOUT (uith*aut) significa «senza».

at the bookshop

to change	cambiare
receipt	scontrino
travel guide	guida turistica
dictionary	vocabolario
paperback	libro tascabile
upstairs/downstairs	al piano di sopra/sotto
tourist guide	guida turistica
thriller	giallo
grammar book	grammatica
map	cartina
to stock	tenere in negozio

ESERCIZIO n. 20

1. Vorrei un vocabolario tedesco/spagnolo. ....

   ....

2. Scusi, dove sono i gialli? ....

   ....

3. Sto cercando una guida turistica di Edimburgo in italiano. ....

   ....

4. Avete una grammatica, per favore? ....

   ....

5. Tenete libri/giornali in francese? ....

   ....

6. Ho bisogno di una cartina di Londra. ....

   ....

7. Vorrei un libro sul Devon. ....

   ....

8. Posso cambiare questo libro, per favore? ....

   ....

9. I tascabili sono al piano di sotto. ....

   ....

10. Avete *Twilight* di Stephenie Meyer? ....

    ....

THE ADVENTURES OF MARIO AND OLIVIA

Nel centro commerciale c'è anche una grandissima libreria con uno spazio aperto molto grande e invitante. Non abbastanza invitante da farci entrare Mario e Olivia, ma abbastanza aperta ed esposta da far avvicinare Olivia, che tende l'orecchio e si mette ad ascoltare la conversazione di una ragazza, *a girl* (G) che indossa uno splendido vestito e ha ai piedi delle fantastiche scarpe verdi! La cliente parla con una commessa, *shop assistant* (SA).

G: «*Good afternoon. I'd like to change this book. Here is the receipt.*» «Buon pomeriggio. Vorrei cambiare questo libro. Ecco lo scontrino.»

SA: «*Ok. Are you interested in something different?*» «Va bene, le interessa qualcosa di diverso?»

G: «*Yes, I'd like a travel guide to Cambridge and an English/French dictionary.*» «Sì, vorrei una guida turistica di Cambridge e un dizionario inglese/francese.»

SA: «*The travel guides are upstairs, the dictionaries are on that bookshelf over there.*» «Le guide sono al piano di sopra, i vocabolari si trovano su quella libreria laggiù.»

G: «*Can you recommend a guide with some nice pictures?*» «Mi può suggerire una guida con delle belle fotografie?»

SA: «*Yes, of course. Here you are.*» « Sì, certo. Eccola.»

G: «*Thank you.*» «Grazie.»

at the flower shop

bunch	mazzo
card	biglietto di auguri
carnation	garofano
daffodil	narciso
daisy	margherita
envelope	busta
flower	fiore
carnivorous plant	pianta carnivora
house plant	pianta d'appartamento
in season	di stagione
lily	giglio
orchid	orchidea
rose	rosa
special occasion	occasione speciale
tulip	tulipano
violet	viola
mother in law	suocera
sunflower	girasole

ESERCIZIO n. 21

1. Sto cercando una pianta carnivora per mia suocera. ....

   ....

2. Avete delle piante? ....

   ....

3. Abbiamo bisogno di un'orchidea per un regalo. ....

   ....

4. I amo le rose gialle. ....
....
5. Jane detesta i garofani. ....
....
6. I gigli sono freschi? ....
....
7. Prendo dieci girasoli. ....
....
8. Può far mandare le margherite a questo indirizzo, per favore? ....
....
9. I narcisi non sono di stagione. ....
....
10. Le viole sono troppo care. ....
....

THE ADVENTURES OF MARIO AND OLIVIA

Nel centro commerciale c'è anche uno splendido negozio di fiori, e Olivia non può fare a meno di notare un bell'uomo molto distinto che si appresta a comprare dei fiori per sua moglie. Ovviamente, Olivia non solo nota quella scena, ma invita anche Mario a osservare e prendere esempio da quell'uomo così galante (UG) che compra dei fiori per la moglie grazie ai consigli del fiorista, *florist* (F).

F: «*Good evening, Sir.*» «Buonasera, signore.»

UG: «*Good evening. I'd like a bunch of flowers for my wife.*» «Buona sera. Vorrei un mazzo di fiori per mia moglie.»

Olivia guarda minacciosa Mario, lui non le ha mai regalato fiori! Lui non le ha mai regalato niente, in realtà!

F: «*Is it for a special occasion?*» «Si tratta di un'occasione speciale?»

UG: «*Yes, it's her birthday today.*» «Sì, oggi è il suo compleanno.»

Olivia sta per commuoversi: "un'occasione importante" il suo compleanno!?

F: «*What's her favourite flower?*» «Quale è suo fiore preferito?»

UG: «*Well, she likes tulips, but they are not in season now.*» «Beh, le piacciono i tulipani, ma non sono di stagione, adesso.»

Mario non ha la più pallida idea del fiore preferito di Olivia, e anche se sapesse qual è, di certo non saprebbe in che stagione cresce!

F: *«I'll show you what we have, then.»* «Le mostro quello che abbiamo, allora.»

UG: *«I'll have some roses. How much are they?»* «Prendo delle rose. Quanto costano?»

F: *«The red ones are £4.00 each and the yellow ones are £3.50. And I have some orange roses. They're very fresh. They're not very expensive. Just £3.10.»* «Quelle rosse 4 sterline l'una e quelle gialle 3.50 e ho delle rose arancioni. Sono molto fresche. E non sono molto care. Solo 3.10 sterline.»

A questo punto Mario avrebbe di certo chiesto dei fiori più economici.

UG: *«Can I see them?»* «Posso vederle?»

F: *«Yes, they're over there, near the entrance.»* «Sì, sono laggiù, vicino all'ingresso.»

UG: *«Ok, thank you. I'll have seven orange roses, please.»* «Ok, grazie. Prendo sette rose arancioni, per favore.»

Wow, quest'uomo così galante conosce anche il colore preferito della moglie!

F: *«Do you need a card and an envelope, too?»* «Vuole anche un biglietto e una busta?»

UG: *«Oh, yes, please.»* «Oh, sì grazie.»

L'uomo galante consegna un bigliettino al fiorista.

UG: *«Please have them sent to this address this evening at 8. Thanks a lot.»* «Le può far mandare a questo indirizzo stasera alle 8? Grazie molte.»

Olivia, sconsolata, dice a Mario che lui non le ha mai regalato dei fiori... dopo tanti anni di matrimonio.

the bike

THE ADVENTURES OF MARIO AND OLIVIA

Mario continua a pensare che prima o poi Olivia gli concederà qualcosa di divertente, e così comincia a raccontarle di quella volta che suo cugino Ignazio (I) e la moglie Assunta sono stati a Londra e hanno noleggiato le biciclette per visitare la città. La storia del dialogo tra Ignazio e il "tipo dietro al banco" (TDB) del noleggio delle biciclette è talmente realistica e ricca di dettagli raccontati da Mario che Olivia comincia ad immaginarsi la scena…

I: «*Hello, I would like to rent two bikes.*» «Salve, vorrei noleggiare due bici.»

TDB: «*Ok, for how long, Sir.?*» «Ok, per quanto tempo, Sig.?»

I: «*For one week.*» «Per una settimana.»

TDB: «*I think we have two available for you. Let me check.*» «Penso di averne due, mi lasci controllare.»

I: «*How much are they per day?*» «Quanto costano al giorno?»

TDB: «*10 pounds a day!*» «10 sterline al giorno!»

I: «*Are the helmets included?*» «I caschetti sono compresi?»

TDB: «*No, they are 3 pounds each.*» «No, costano 3 sterline ciascuno.»

I: «*Are there any cycle lanes in the area?*» «Ci sono piste ciclabili in questa zona?»

TDB: «*Yes, here's a map for you. Please leave me some ID as a deposit.*» «Si, eccole una cartina. Mi lasci un documento come deposito, per favore.»

I: «*Ok, here you are. Do I pay now or when I return the bikes?*» «Va bene, eccolo. Pago adesso o quando riporto le biciclette?»

TDB: «*When you return the bikes.*» «Quando le riporta.»

Olivia torna immediatamente alla realtà.

O: «Chissà che freddo! In bicicletta, che pessima idea!»

Mario perde quella piccola speranza che nutriva di convincere Olivia a noleggiare anche loro le biciclette e a pedalare in giro per Londra. Sarà per la prossima volta.

Az

motorbike	moto
lock	lucchetto
chain	catena
saddle	sellino
cycle lane	pista ciclabile
pump	pompa
gomma bucata	flat tyre

ESERCIZIO n. 22

1. Vorrei una mountain bike. ....
2. Vorremmo noleggiare un motorino, per favore. ....
   ....
3. Il lucchetto e la catena sono compresi nel prezzo? ....
   ....
4. Posso avere un sellino diverso? ....
   ....
5. La pista ciclabile è lontana da qui? ....
   ....
6. I freni non funzionano. ....
7. La catena della bicicletta è rotta. ....
   ....
8. Manca la pompa. ....
9. Che tipi di biciclette avete? ....
   ....
10. Ho la gomma bucata. ....

the theatre

night club	discoteca
evening dress	abito da sera
jacket	giacca
tie	cravatta
formal dress	abito lungo
is requested	è richiesto
author	autore
actor	attore
actress	attrice
film director	regista
leading actors	attori principali
conductor	direttore d'orchestra
dancer	ballerina
cancelled	cancellato
postponed	rinviato
preview	anteprima
play	commedia
company	compagnia
ballet	danza classica
stage	palco
stalls	platea
seat	poltrona
first night	prima
hall	sala
theatre box office	botteghino del teatro
sold out	esaurito
available	disponibile
cloakroom	guardaroba
interval	intervallo
reserved	riservato

ESERCIZIO n. 23

1. I biglietti per il musical sono esauriti. ....
....
2. Sono richiesti giacca e cravatta e un abito da sera. ....
....
3. Chi è il produttore di questo spettacolo? ....
....
4. Gli attori principali sono molto bravi. ....
....
5. Lo spettacolo è stato rinviato a martedì prossimo. ....
....
6. Dov'è il botteghino? ....
7. Sono dei bei posti? ....
8. Mia moglie adora la danza classica, ma detesta andare a teatro. ......
....
9. Non ci sono più posti disponibili. ....
....
10. Vorrei due posti per la commedia di domani pomeriggio. ....
....

THE ADVENTURES OF MARIO AND OLIVIA

Come aveva preannunciato al telefono a sua madre, Mario si appresta a comprare i biglietti per il teatro, per fare una sorpresa a Olivia nella loro ultima notte a Londra. Si mette in coda in attesa che venga il suo turno e che possa parlare con il ragazzo del botteghino, e nel frattempo si ripete tutte le domande che dovrà fargli.

M: «*What show is on tonight?*» «Che spettacolo danno stasera?»

M: «*Is it a musical?*» « È un musical?»

M: «*At what time does the show start, please?*» «A che ora inizia lo spettacolo, per favore?»

M: «*How much are the tickets?*» «Quanto costano i biglietti?»

M: «*Two tickets, please.*» «Due biglietti, per favore.»

M: «*Can you recommend somewhere with live music?*» «Mi può suggerire un locale dove c'e musica dal vivo?»

M: «*What time does it close, please?*» «A che ora chiude, per favore?»

M: «*Are there any subtitles?*» «Ci sono i sottotitoli?»

M: «*Is there an interval?*» «C'è l'intervallo?»

M: «*Where is the cloakroom, Sir.?*» «Dov'è il guardaroba, Sig.?»

M: «*Can I change my seat? I'd like a central seat.*» «Posso cambiare posto? Vorrei un posto centrale.»

M: «*What time does the show end?*» «A che ora finisce lo spettacolo?»

Che fatica! Tutti questi pensieri... peccato che alla fine, quando arriva il turno di Mario, non ci sono più posti disponibili. Piano fallito. Niente teatro, bisognerà accontentarsi di una cenetta al ristorante... senza *fish and chips*!

The bus
Say "goodbye"
Check-in

Coming home (home sweet home)
Tornare a casa (casa dolce casa)

Very and really
Adverbs

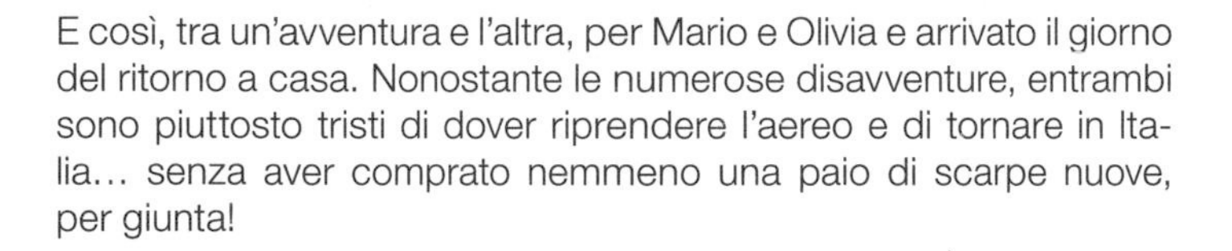

E così, tra un'avventura e l'altra, per Mario e Olivia e arrivato il giorno del ritorno a casa. Nonostante le numerose disavventure, entrambi sono piuttosto tristi di dover riprendere l'aereo e di tornare in Italia... senza aver comprato nemmeno una paio di scarpe nuove, per giunta!

THE ADVENTURES OF MARIO AND OLIVIA

Se è vero che "il buongiorno si vede dal mattino" forse Mario non si dovrebbe aspettare granché da questa giornata! Il soggiorno a Londra è finito e Olivia si è svegliata di pessimo umore.

M: «Dove sono le nostre valigie?»

O: «Sono lì, davanti al tuo naso!»

Mario capisce subito che è meglio rinunciare al dialogo, per non litigare.

O: «Perché me lo chiedi adesso? Manca ancora un sacco di tempo. A proposito, a che ora arriva il taxi per l'aeroporto?»

M: «Niente taxi. Ho deciso! Ci andiamo in autobus: costa meno ed è più caratteristico.»

Olivia non può fare a meno di pensare che, "altro che caratteristico, suo marito è il solito spilorcio...". Ma almeno si torna a casa.

O: «*House sweet house!*»

M: «Si dice "*Home sweet home*"!»

HOUSE AND HOME

House è la casa fisica, l'edificio vero e proprio mentre home è "una questione" di cuore. Se abiti in una casa dove non stai bene magari non la chiami home ma my house. È uguale anche per le nazioni... Is Italy your home?

the bus

a daily tourist ticket	biglietto turistico valido per un giorno
season tickets	abbonamenti
to change	cambiare
to get off	scendere
stop	fermata
reduced price tickets	biglietti ridotti
disabled	disabili

ESERCIZIO n. 24

1. Dove devo cambiare? ....
2. Mi scusi, vorrei scendere alla prossima fermata. ....
   ....
3. Questo autobus va a ... Street? No, deve prendere il numero ... .
   ....
4. Quante fermate ci sono prima di ... Street? ....
   ....
5. Mi scusi, quanto costano i biglietti ridotti per i disabili/studenti? ....
   ....
6. Vorremmo due biglietti turistici validi per un giorno. ....
   ....
7. Vorrei un biglietto da 12 corse. ....
   ....
8. Dove possiamo comprare degli abbonamenti? ....
   ....

THE ADVENTURES OF MARIO AND OLIVIA

Olivia si è rassegnata a dover prendere l'autobus, e, carica di bagagli, segue Mario, che finge di sapere dove deve andare. Lungo il percorso incontrano un "tipo per strada" (TPS) a cui chiedono le indicazioni necessarie per raggiungere la fermata.

M: «*Excuse me, which bus goes to the airport?*» «Mi scusi, qual è l'autobus che va all'aeroporto?»

TPS: «*Number 33.*» «Il numero 33.»

M: «*Excuse me, where is the bus stop for the number 33?*» «Mi scusi, dov'è la fermata dell'autobus numero 33?»

TPS: «*In which direction?*» «In che direzione?»

Mario guarda quel tipo e pensa che deve avere qualcosa che non va: è stato lui, un minuto fa a dirgli qual era l'autobus che portava all'aeroporto. Ma non si vuole arrabbiare, c'è già Olivia che ha una faccia…

M: «*I want to go to the airport. Do you remember? The airport, two minutes ago?*» «Voglio andare all'aeroporto. Si ricorda? L'aeroporto, due minuti fa?»

TPS: «*It's over there.*» «È laggiù.»

M: «*Where can I buy a bus ticket?*» «Dove posso comprare un biglietto?»

TPS: «*On the bus.*» «Sull'autobus.»

M: «*How long does it take to get to the airport?*» «Quanto ci vuole per arrivare all'aeroporto?»

TPS: «*About 45 minutes.*» «Circa 45 minuti.»

M: «*And how often do the buses run?*» «E ogni quanto c'è una corsa?»

TPS: «*Every 15 minutes.*» «Ogni 15 minuti.»

M: «*Thank you.*» «Grazie.»

Finalmente Mario e Olivia arrivano alla fermata; con quel tipo si stava mettendo male... salgono a bordo e, per fare i biglietti, si rivolgono all'autista, *the bus driver* (BD).

M: «*2 tickets for the airport, please. How much is that?*» «Due biglietti per l'aeroporto, per favore. Quant'è?»

BD: «*£ 9.60. Here you are.*» «9.60 sterline. Ecco qui.»

M: «*Thank you.*» «Grazie.»

BD: «*You're welcome.*» «Prego.»

M: «*I want to go to the airport. Can you tell me where to get off?*» «Voglio andare all'aeroporto. Mi può dire dove scendere?»

BD: «*Yes, of course.*» «Sì, certo.»

A questo punto, la ricerca di un posto libero in cui potersi sedere costringe Mario e Olivia a rivolgersi a un "tipo sull'autobus" (TSA).

O: «*Excuse me, is this seat free?*» «Mi scusi, è libero questo posto?»

TSA: «*No, it's taken.*» «No, è occupato.»

È possibile che non si riesca a trovare un posto nell'intero autobus? Olivia a questo punto è molto stanca, e si sente davvero nervosissima!

very and really

Ora vi presento altre due magiche paroline, capaci di dare agli aggettivi delle importanti sfumature, e che vi aiuteranno a dire come vi sentite quando provate proprio ciò che prova Olivia in questo momento (la frase sull'autobus, ricordate?).

VERY traduce MOLTO ed è seguito da un aggettivo.
REALLY, messo davanti a un aggettivo, lo fa diventare un superlativo assoluto.

I am tired. Io sono stanco.
I am very tired. Io sono molto stanco.
I am really tired! Io sono stanchissimo!

I am nervous. Sono nervoso.
I am very nervous. Sono molto nervoso.
I am really nervous. Sono nervosissimo.

A questo punto, è molto semplice dire come si sente Olivia: Olivia si sente molto stanca e nervosissima. Olivia is **very** tired, and **really** nervous.

adverbs

Un avverbio è una parola che si usa per indicare quando, dove e come una certa azione si svolge. Gli avverbi sono quelle "parole" che in italiano finiscono in -mente e in inglese si creano aggiungendo -LY all'aggettivo.

lento	slow	lentamente	slowly
chiaro	clear	chiaramente	clearly
ovvio	obvious	ovviamente	obviously

say "goodbye"

THE ADVENTURES OF MARIO AND OLIVIA

All'aeroporto Olivia riceve una notizia che le cambia l'umore e la giornata, nera fino a quel momento: hanno ritrovato la sua valigia piena di scarpe. È davvero felicissima.

O: «Che bella vacanza!»

Mario non può credere alle sue orecchie.

M: «Bella vacanza?! Abbiamo perso una valigia, tu sei finita all'ospedale, ti hanno rubato la borsa e abbiamo fatto un'incidente con la macchina a noleggio, che ci è costato 500 sterline! Senza parlare dello spettacolo esaurito e poi, le biciclette...»

O: «Ah, se tu fossi una donna capiresti quali sono le cose veramente importanti!»

THE ADVENTURES OF MARIO AND OLIVIA

Mario e Olivia cercano il loro volo nei monitor: incredibilmente il volo per Milano è puntuale. Non resta che andare alla zona B.

M: «Siamo sicuri che sia giusto il Terminal 1?»

Olivia non ci pensa su due volte, si rivolge a una hostess di terra…

O: «*Excuse me, where is zone B, please?*» «Mi scusi, dov'è la zona B, per favore?»

Mario non dà nemmeno importanza alla risposta della hostess. Rimane impietrito per l'intraprendenza della moglie.

O: «*Yes, certainly. It's easy!*» «Sì, certo. È facile!»

Obviously!

check-in

Az

luggage trolley	carrello portabagagli
departure	partenze
arrival	arrivi
passenger	passeggero
seat	posto a sedere
delay	ritardo
baggage claim	ritiro bagagli
emergency exit	uscita di sicurezza

domestic/international flights	voli nazionali/internazionali
passport control	controllo passaporti
departure lounge	sala d'imbarco
arrival hall	sala di arrivo
aisle	corridoio
last call	ultima chiamata
delayed ... minutes	in ritardo di ... minuti
gate	uscita
now boarding	imbarco immediato
excess baggage charge	tariffa per il soprappeso dei bagagli
to miss the plane	perdere l'aereo

ESERCIZIO n. 25

1. Qual è il numero del nostro volo? ....

   ....

2. Dov'è la sala d'imbarco? ....

   ....

3. Il nostro aereo è in ritardo di mezz'ora. ....

   ....

4. Il mio volo è stato cancellato per via della neve. ....

   ....

5. Dov'è la mia carta d'imbarco? ....

   ....

6. Quant'è la tariffa per il soprappeso dei bagagli? ....

   ....

7. Ha perso l'aereo. Il prossimo è domani mattina. ....

   ....

8. Dov'è il check-in del volo per Milano? ....

   ....

THE ADVENTURES OF MARIO AND OLIVIA

Siamo davvero alle battute finali. A Mario e Olivia non resta che fare il check-in e riprendere l'aereo che li riporterà in Italia. Le ultime battute in inglese le scambiano con la hostess del check-in (HDCI).

HDCI: «*Can I see your tickets and passports, please?*» «Posso vedere i vostri biglietti e passaporti, per favore?»

M: «*Is the flight on time, please?*» «Il volo è in orario, please?»

HDCI: «*Yes it is, Sir. These are your boarding passes. Please go to gate 7 when it is announced.*» «Sì, certo signore. Ecco le vostre carte d'imbarco. Andate all'uscita 7 quando vi chiamano.»

Aiutate Mario a rispondere: «Sì, questa borsa la porto a bordo. Contiene del deodorante alla vaniglia per scarpe!».

After going through passport control they board the plane.

Mario e Olivia riconoscono tanti degli italiani che erano con loro all'andata, a bordo dello stesso volo. Olivia è sicura che siano le stesse persone, ma sembrano tutti più.... magri!

Solutions

ESERCIZIO n. 1

1. What's the time? Sorry, I don't know.
2. It's 9 o'clock.
3. It's almost a quarter past four.
4. Come on! It's half past seven.
5. What time is the train? At twenty to three.
6. What time does the flight arrive? At midnight.
7. What time is the match? At about six.
8. What time is it? It's early, don't worry.
9. It's late.
10. It's ten to five. It's time to go.

ESERCIZIO n. 2

1. A hamburger? Yes, please.
2. A tea and a coffee, please.
3. A kilo of bananas, please
4. Some milk? No, thank you.
5. Two beers, please.
6. Some sugar in your tea? Yes, please. Two spoonfuls.
7. Thanks a lot! You're welcome.
8. Some more cake? No, thank you.
9. Some chips, please. Some ketchup? Yes, please.
10. Can I have another beer, please? This is too warm.

ESERCIZIO n. 3

1. What time does the supermarket open?
2. What time does the train for Milan leave?
3. What time does the plane arrive?
4. What time does the film start?
5. What time are you meeting Jenny?
6. What time are you collecting the children?
7. What time does the shop close?
8. What time does Peter go to the gym?
9. What time are we going to the restaurant?
10. What time does your English lesson start?

BUBBLE p. 48

M: «What time is the last train?»

ESERCIZIO n. 4

1. Where can I change some euro, please?
2. Where can I wash my clothes, please?
3. Where can I report a theft, please?
4. Where can I rent a bike, please?
5. Where can I watch a film, please?
6. Where can I find typical English food, please?
7. Where can I buy some tickets for the show, please?
8. Where can we find a chemist's, please?
9. Where can I buy a camera, please?
10. Where can we find an English dictionary, please?

ESERCIZIO n. 5

1. Excuse me, where is Buckingham Palace?
2. Excuse me, is there a cinema near here?
3. Go straight on. Then turn left at the traffic lights.
4. Turn left at the roundabout. The supermarket is opposite the hospital.
5. Go/drive over the bridge. Then you will see a post office. The chemist's is next to it.
6. Walk straight on until you see a café. Then ask someone there.
7. Turn right at the corner.
8. You'll come to an old church. The greengrocer's is in front of it.
9. Excuse me, where is Downing Street? Is it on the right or on the left?
10. Excuse me, where is Big Ben? In London!

ESERCIZIO n. 6

1. How do I get to Oxford Street?
2. What line do I take to get to...?
3. Excuse me, is this the right way to Hyde Park?
4. Do you have a map of the underground? How do we get to Piccadilly Circus?
5. You can drive there or you can go by train and ferry.
6. This ferry is too crowded. Let's take the next one.

ESERCIZIO n. 7

1. How long does it take to get to the hospital by bus?
2. How long does the train take to get to Norfolk?
3. How long does it take you to get to work?
4. How long does it take you to do this translation?
5. How long does it take to learn English?
6. How long does it take to have this document?
7. How long does it take to have the car repaired?
8. How long does the plane take to get to Dublin?
9. How long does it take you to get to the cinema from home?
10. How long does it take you to pack your bag?

ESERCIZIO n. 8

MAN 1: Excuse me, where is the art museum?
MAN 2: You must take the number 2 bus, get off in the centre, you will see a post office, there you can get on number 7 for two stops, then you will see it.

MAN 1: Excuse me, how can I get to the cinema in Baker Street?
MAN 2: You can take a taxi at the end of the road or walk there, but it takes 30 minutes.

MAN 1: Excuse me! Where can I see a film?
MAN 2: At the cinema.
MAN 1: Cheeky!
MAN 2: Haha ok... turn left, at the traffic lights go straight on, then you will see a pub... go straight until you see a roundabout, then turn left and you are there.

MAN 1: Excuse me, where is the chemist's?
MAN 2: Are you on foot or by car?
MAN 1: On foot.
MAN 2: Ok, go straight on until the end of the road, turn left and you will see a cinema, turn right at the cinema and go straight for about 200 yards... Then ask someone there.

MAN 1: Excuse me, where is Penny Lane?
MAN 2: Go right and you will see the underground. Get off at Victoria Station. There, take a train to Liverpool. At Liverpool Station take the number 43 bus in front of the station and get off after 7 stops and you will see Penny Lane.

MAN 1: Excuse me! Where can I hire a car, please?
MAN 2: Go straight on, then turn right and you will see a hire-a-car.
MAN 1: Thanks.

BUBBLE p. 77

M: «Excuse me, the hair dryer does not work and the bedcover is not clean.»

ESERCIZIO n. 9

1. There has been a mistake. I asked for a room with a shower.
2. The window doesn't close.
3. The room is too noisy.
4. The bed is too soft.
5. The tap drips.
6. The bed hasn't been made.
7. The towels haven't been changed.
8. I have lost my room key.
9. There isn't any hot water.
10. The heating doesn't work.

BUBBLE p. 85

M: «How long does it take to get to the restaurant by taxi?»

ESERCIZIO n. 10

1. Could you bring me a fork, please?
2. I don't have a napkin.
3. Is service included?
4. Please, don't add any sauce to the meat.
5. I can't eat any tomatoes or cheese.
6. I'm allergic to fish.
7. This meat isn't cooked well.
8. My husband didn't order this.
9. You have forgotten to bring me the dressing.
10. I'd like some more wine, please.

ESERCIZIO n. 11

1. First I'll have a...
2. I'll have the salmon with roast potatoes.
3. We'll order our second courses later.
4. We'll have a bottle of French red wine.
5. What do you recommend?
6. I am not allowed to eat fish.
7. Can I have some more...
8. Can you cook this dish without...
9. Is there any ice-cream?
10. Can we have the bill, please?

ESERCIZIO n. 12

1. I can't move my left leg.
2. Is there a doctor who can speak Italian?
3. I feel dizzy.
4. I've got a temperature.
5. I keep vomiting.
6. I feel weak.
7. I feel nauseous.
8. I suffer from...
9. Can you write me a prescription for this medicine?
10. I've got the shivers.

BUBBLE p. 100

D: «Leave the hospital, go straight until you find a supermarket. There take the bus number 23 in front of the supermarket. Get off after 6 stops and you will see the underground. Take the Piccadilly Line for two stops in the direction of Victoria. At Victoria take the train to Black Street. Get off at Black Street and then ask someone there.»

ESERCIZIO n. 13

1. I'd like a small car with two seats.
2. We'd like a large car with five seats.
3. I'd like a medium size automatic car.
4. We'd like a sports car with air conditioning and two seats.
5. I'd like a camper for twelve persons.
6. Is unlimited mileage included?
7. What are the rates per mile?
8. Can I leave the car in another town?
9. What kind of cars do you have?
10. Do I have to return the car with a full tank?
11. What does the insurance cover?
12. Can I take the car abroad?

ESERCIZIO n. 14

1. Where can I find a repair garage?
2. We need a breakdown truck.
3. We have run out of fuel.
4. Can you tow our car, please?
5. She didn't give way.
6. Can I see your driving license?
7. I'll call the police.

ESERCIZIO n. 15

1. Two croissants, please.
2. Can I have some cold milk, please?
3. A decaffeinated coffee, please.
4. No sugar, please.
5. Some honey? No, thanks.
6. We'd like two fruit yoghurts, please.
7. Can I have some jam, please?
8. Can I have some more ham, please?
9. I'd like some cold tea, please.
10. We'd like two hot chocolates, please.

ESERCIZIO n. 16

1. Excuse me, what are the opening times?
2. Where can I find the nearest shoe shop?
3. Do you need any help?
4. I'd like to have a look.
5. I'd like to see that skirt in the window, please.
6. Have you got it in any other colours?
7. I'm already being served, thanks.
8. I'd like to spend less.
9. Can you give me a discount?
10. I'll take this. Can I change it if there is a problem?
11. What size are you, Madam?
12. Would you like to try this?
13. Where's the changing room?
14. This skirt is a little too tight.
15. Which colour do you prefer?
16. Do you have any trousers in the same colour?
17. Have you got any other models?
18. Have you got something lighter?
19. I'm looking for a silk blouse.
20. I'd like a colour that matches this jacket.

ESERCIZIO n. 17

1. Do you have some wholemeal bread?
2. Ten rolls, please.
3. Where are the products for diabetic?
4. Can I have four ham sandwiches, please?
5. Sorry, we haven't got any today.
6. We've run out of brown bread.
7. I always buy dietetic products for my father.
8. Is there a baker's near here?
9. Where are the rolls?
10. We don't sell hamburgers, sorry.

ESERCIZIO n. 18

1. Can I have 3 pounds of bacon?
2. I'd like five beef steaks.
3. We don't sell grilled chickens.
4. Is this veal fresh?
5. I don't like sausage.
6. What kind of meat can I use for the stew?
7. My favourite is liver.
8. Please, buy a kilo of meatballs for this evening.
9. I need 2 kilos of meat for a mixed grill.
10. Do you prefer to eat a fillet steak or tripe?

ESERCIZIO n. 19

1. Where can I find a battery charger?
2. Peter needs a multiple socket.
3. How long is the guarantee for this palmtop?
4. I bought three video games for my son.
5. Can you fix this DVD player?
6. My cell phone does not work any more.
7. How much are the blank DVDs?
8 I'd like a 100 euro mobile phone recharge.
9. Your computer is not worth repairing.
10. I don't like this LCD display.

ESERCIZIO n. 20

1. I'd like a German/Spanish dictionary.
2. Excuse me, where are the thrillers?
3. I'm looking for a tourist guide to Edinburgh in Italian.
4. Have you got a grammar book, please?
5. Do you stock books/magazines in French?
6. I need a map of London.
7. I'd like a book on Devon.
8. Can I change this book, please?
9. The Paperbacks are downstairs.
10. Have you got *Twilight* by Stephenie Meyer?

ESERCIZIO n. 21

1. I'm looking for a carnivorous plant for my mother in law.
2. Have you got any plants?
3. We need an orchid for a present.
4. I love yellow roses.
5. Jane hates carnations.
6. Are the lilies fresh?
7. I'll have ten sunflowers.
8. Can you have the daisies sent to this address, please?
9. Daffodils are not in season.
10. Violets are too expensive.

ESERCIZIO n. 22

1. I'd like a mountain bike.
2. We'd like to rent a moped, please.
3. Are the lock and chain included in the price?
4. Can I have a different saddle?
5. Is the cycle lane far from here?
6. The brakes don't work.
7. The bike chain is broken.
8. The pump is not there.
9. What kind of bikes do you have?
10. I've got a flat tyre.

ESERCIZIO n. 23

1. The tickets for the musical are sold out.
2. Jacket and tie and an evening dress are required.
3. Who is the producer of this show?
4. The leading actors are very good.
5. The show has been postponed until next Tuesday.
6. Where is the box office?
7. Are these good seats?
8. My wife loves ballet but she hates going to the theatre.
9. There are no seats available.
10. I'd like two seats for the play tomorrow afternoon.

ESERCIZIO n. 24

1. Where do I have to change?
2. Excuse me, I want to get off at the next stop.
3. Does this bus go to... Street? No, you need number...
4. How many stops are there before... Street?
5. Excuse me, how much are the reduced price tickets for disabled/students?
6. We would like two daily tourist tickets.
7. I'd like a 12 trip ticket.
8. Where can we buy some season tickets?

ESERCIZIO n. 25

1. Which is our flight number?
3. Where is the departure lounge?
4. Our plane is delayed by 30 minutes.
5. My flight has been cancelled because of the snow.
7. Where's my boarding pass?
8. How much is the excess baggage charge?
9. He missed his plane. The next one is tomorrow morning.
10. Where's the check-in for the Milan flight?

BUBBLE p. 170

M: «Yes, I'm taking this bag on board. It has vanilla deodorant for shoes in it!»

The most useful phrases

Scusi, che ore sono per piacere? Excuse me, what time is it, please? What's the time, please?

Mi disturba il fumo. The smoke annoys me.

Ci sono rampe d'accesso/bagni/riduzioni per disabili? Are there access ramps/toilets/reductions for disabled?

È permesso l'ingresso ai cani? Are dogs allowed in?

Dove sono i bagni? Where are the toilets?

Non capisco. Può ripetere, per favore? I don't understand. Can you repeat, please?

Può parlare più lentamente? Can you speak more slowly?

IN AEREO/ALL'AEROPORTO

A che ora arriva l'aereo? A mezzanotte. What time does the flight arrive? At midnight.

Il volo è in orario? Is the flight on time?

Vorrei un posto centrale/vicino al finestrino/corridoio. I would like a central seat/next to the window/aisle.

Dov'è la sala d'imbarco? Where is the departure lounge?

C'è un volo in coincidenza per…? Is there a connecting flight for…?

Posso imbarcare questa borsa come bagaglio a mano? Can I take this bag on board as hand luggage?

IN CITTÀ

Dove posso trovare un bancomat, per favore? Where can I find a cash point, please?

Dove posso comprare una cartina? Where can I buy a map?

Dove posso mangiare cibo tipico inglese?
Where can I eat typical English food?
Dove posso cambiare degli euro, per favore?
Where can I change some euro, please?

Tenga il resto. Keep the change.

ALLA STAZIONE FERROVIARIA/SUL TRENO

Un biglietto di prima/seconda classe sul prossimo treno per ...
A first/second class ticket for the next train to ...

Sola andata o andata e ritorno? Single/one way or return?

Il treno parte fra venti minuti dal binario 2.
The train is leaving in twenty minutes from platform 2.

C'è il supplemento rapido/la prenotazione obbligatoria?
Is there a supplementary charge/Is booking compulsory?

Per quanti giorni è valido il biglietto?
How many days is the ticket valid for?

Posso aprire/chiudere il finestrino? Can I open/close the window?

IN ALBERGO/AL BED & BREAFAST/AL CAMPING/ALL'OSTELLO

Abbiamo prenotato una camera singola/doppia a nome...
We have booked a single/double room in the name of...

Dove posso parcheggiare la macchina? Where can I park the car?

È possibile avere un altro cuscino/un'altra coperta?
Is it possible to have another pillow/blanket?

A che ora è la chiusura della porta d'ingresso?
By what time do I have to be in at night?

Posso vedere un documento? Can I see some identification?

Possiamo essere svegliati alle 7? Can we have a wake up call at 7?

Accettate la VISA? No, solo contanti.
Do you accept VISA? No, cash only.

C'è un errore, ho chiesto una stanza con la doccia.
There has been a mistake, I asked for a room with a shower.

Gli asciugamani non sono stati cambiati.
The towels haven't been changed.

FARE SHOPPING

Scusi, quali sono gli orari di apertura?
Excuse me, what are the opening times?

Mi stanno già servendo, grazie. I'm already being served, thanks.

Prendo questo. Lo posso cambiare se c'è qualche problema?
I'll take this. Can I change it if there is any problem?

Che taglia porta, signora/signore? What size are you, Madam/Sir?

Dov'è il camerino? Where's the changing room?

Sto cercando una camicetta di seta/cotone/lana.
I'm looking for a silk/cotton/woolen blouse.

Vorrei un colore che si abbini a questa giacca.
I'd like a colour that matches this jacket.

Posso vedere quelle scarpe in vetrina, per favore?
Can I see those shoes in the window, please?

Porto il 44 italiano. I am Italian size 44.

Vanno bene. They fit well.

Posso provarlo? Can I try it on?

Ripasso più tardi. I'll come back later.

AL CAFFÈ/BAR/RISTORANTE

Posso avere un'altra birra, per favore? Questa è troppo calda.
Can I have another beer, please? This is too warm.

Un bicchiere/una coppa/lattina di... A glass/glass/can of...

Vorrei una fetta/un pezzo/una porzione di...
I would like a slice/piece/a portion of...

Mi può cambiare questa banconota in monete?
Can you change this note for me?

Posso avere lo scontrino? Can I have the receipt?

Mi manca il tovagliolo. I don't have a napkin.

Il servizio è compreso? Is service included?

Non posso mangiare pomodori e formaggio.
I can't eat any tomatoes or cheese.

Sono allergico al pesce. I'm allergic to fish.

Questa carne non è cotta bene. This meat isn't cooked well.

Vorrei dell'altro vino, per favore. I'd like some more wine, please.

Per antipasto/di primo/di secondo prendiamo...
For the starter/as a first/second course we'll have...

Cosa ci consiglia? What do you recommend?

Vorrei iniziare con... First I'll have a...

Si può preparare questo piatto senza...?
Can you cook this dish without...?

Possiamo avere il conto, per favore? Can we have the bill, please?

Mi può portare il menu/la lista dei vini/un seggiolone?
Can you bring me the menu/wine list/a highchair?

LA CITTÀ DI SERA

Mi scusi, dove posso trovare un buon teatro, per favore?
Excuse me, where can I find a good theatre please?

Che spettacolo danno stasera? What show is on tonight?

Mi può suggerire un locale dove c'è musica dal vivo?
Can you recommend somewhere with live music?

I biglietti sono esauriti. The tickets are sold out.

Lo spettacolo è stato rinviato a martedì prossimo.
The show has been postponed until next Tuesday.

Vorrei il programma dei cinema/teatri/festival.
I'd like the cinema/theatre/festival programme.

Quanto costa un posto in un palco/platea/prima/seconda galleria?
How much is a seat in a box/the stalls/the first circle/gallery?

PROBLEMI DI SALUTE

Non mi sento bene. I don't feel well.

Ho un dolore alla gamba sinistra. I have (a) pain in my left leg.

Mi gira la testa. I feel dizzy.

C'è un medico che parla italiano?
Is there a doctor who can speak Italian?

Ho la febbre. I've got a temperature.

Continuo a vomitare. I keep vomiting.

Mi sento debole. I feel weak.

Faccio fatica a respirare. I have difficulty in breathing.

Può farmi una ricetta per questa medicina?
Can you write me a prescription for this medicine?

Ho i brividi. I've got the shivers.

Chiami un'ambulanza, per favore. Call an ambulance, please.

Dov'è un pronto soccorso? Where is an emergency room?

Può avvertire la mia famiglia? Can you inform my family?

Ho battuto la testa/il ginocchio/la schiena.
I hit my head/knee cap/back.

Mi ha punto un… A … has stung me.

Sono svenuto. I fainted.

Vorrei qualcosa contro il mal di testa/gola/il raffreddore/l'influenza.
I'd like something for a headache/a sore throat/a cold/flu.

Questa medicina va bene per chi soffre di…?
Is this medicine ok for … sufferers?

Index